Y0-AAW-068

Écrire en France au XIXe siècle

(Actes du colloque de Rome)

Écrire en France au XIXe siècle

Études présentées au colloque

«STATUT ET FONCTION DE L'ÉCRIVAIN
ET DE LA LITTÉRATURE EN FRANCE
AU XIXe SIÈCLE»

tenu à Rome les 7 et 8 octobre 1987
à l'Università di Roma La Sapienza

éditées par Graziella Pagliano
et Antonio Gómez-Moriana

Collection L'Univers des discours

Le Préambule

Données de catalogage avant publication (Canada)

Vedette principale au titre
Écrire en France au XIXe siècle: actes du Colloque de Rome, 1987
(Collection L'Univers des discours).
ISBN 2-89133-096-X
1. Littérature française — 19e siècle — Aspect social — Congrès. 2. Littérature et société — France — Congrès. 3. Écrivains français — 19e siècle — Congrès. I. Pagliano Ungari, Graziella. II. Gómez-Moriana, Antonio. III. Collection.
PQ283.E27 1989 840'.9'008 C89-096172-7

Distribution:

Québec:
Messageries PROLOGUE,
2975, rue Sartelon,
Montréal H4R 1E6 — Tél.: 332-5860

France:
Éditions DE VECCHI
20, rue de la Trémoille
75008 Paris
Tél.: (1) 47204041

Belgique:
Diffusion VANDER,
321, Avenue des Volontaires,
1150 Bruxelles, Tél.: 762-9804

Suisse
TRANSAT
19, route des Jeunes
1227 Carouge (Genève) Tél.: 427-740

Avant-propos

Nous publions dans ce volume, sous les auspices du Consiglio Nazionale delle Ricerche (C.N.R. d'Italie), les études présentées au colloque international organisé par Graziella Pagliano à Rome en octobre 1987 (dans l'ordre même de leur présentation au colloque).

C'est grâce à la volonté déclarée des participants que la collection *L'Univers des discours* a pris en charge l'édition des actes du colloque de Rome. Je tiens à remercier Graziella Pagliano et le groupe de chercheurs réunis à Rome pour la confiance qu'ils nous ont témoignée.

Au nom de la collection *L'Univers des discours* et des Éditions du Préambule, je remercie également le Consiglio Nazionale delle Ricerche pour la généreuse subvention qui a rendu possible la parution de ce livre, tout comme l'Université de Montréal pour son soutien dans la préparation du manuscrit. Merci plus particulièrement à Josée Latraverse pour le soin apporté à la transcription par traitement de texte.

Montréal, février 1989
Antonio Gómez-Moriana

Introduction

Les études qui suivent ont été présentées au colloque «Statut et fonction de l'écrivain et de la littérature en France au XIXe siècle» (Rome, 7-8 octobre 1987, facoltà di Magistero, Università di Roma La Sapienza), organisé par la chaire de Sociologie de la Littérature, Département de Sociologie, avec l'aide du C.N.R.

L'étape immédiatement précédente est, en octobre 1985, celle du colloque organisé par le Groupe de Sociologie de la Littérature de l'Université de Neuchâtel sur le même sujet; en remontant en arrière, on pourrait renvoyer au colloque organisé par l'Université libre de Bruxelles, ou encore, à celui de Cerisy dédié à Lucien Goldmann. Ces rencontres présentent un aspect extrêmement intéressant, qui n'est pas conservé dans les Actes, celui d'une discussion dense rendue possible, si l'on ne veut consacrer de longues semaines aux travaux, par la limitation du nombre des participants. Mais nous regrettons aussi l'absence d'autres voix.

Le XIXe siècle français, choisi pour la deuxième fois pour orienter les communications, permet d'affiner la méthodologie et la percée théorique grâce à la vivacité des événements sociaux et littéraires, dont les aboutissements vont au-delà des frontières et de l'époque, en se présentant donc comme un laboratoire privilégié pour la recherche. Le couple de termes statut-fonction (je proposerai même statuts et fonctions) renvoie non seulement aux niveaux institutionnel et social, aux jeux de légitimations assumés par les textes, mais aussi à la conscience et au savoir qui les entourent et qui préparent leur écriture, comme leur lecture.

Il me semble que les études réunies ici, qui n'expriment pas nécessairement mes préférences personnelles (ce n'est pas le lieu), permettent quelques réflexions. Au-delà des zones littéraires explicitement évoquées, identifiables par les noms d'auteurs (Hugo, Vigny, Balzac, Nerval, Borel, Forneret, Lautréamont, Flaubert, Maupassant, Goncourt, Zola, Barrès...) et au-delà de certaines traces qui renvoient aux structures économiques et sociales (Dubois, Grivel, Castella, Ponton), on voit apparaître avec insistance certaines catégories d'analyse liées à l'écriture.

Je pense par exemple à *l'exclusion*, si Dubois est porté à dire que le système littéraire du Second Empire exclut par définition le bourgeois ou quand un jeune homme pauvre élabore la doctrine du génie prophète (Bonhôte); si la stratégie d'auto-exclusion unit les écrivains visités par Grivel; si les artistes dans les textes, et leurs modèles perdent la vie (G.P.), comme les personnages qui refusent l'échange marchand (Castella).

En second lieu, je pense à la réorganisation de champ, littéraire et culturel, qui régit, bien que de façon différente, le discours de Dubois, de Jurt, de Leenhardt, de Wessely.

En troisième lieu, je voudrais rappeler le *rapport avec le passé* et donc, aussi, avec le futur et le soi-disant réel, désigné par Mahieu, Gómez-Moriana, Leenhardt, moi-même. Enfin, l'espace assez grand pris par la dimension *biographique*, des écrivains surtout (de Bonhôte à Ponton), mais encore des personnages et comme ressort méthodologique.

L'analyse du travail littéraire apparaît donc, dans ces rapports, bien consciente des «variables de départ» et des «intérêts expressifs», comme des textes qui en résultent. Les observations théoriques et méthodologiques (Robin) peuvent constituer une invitation ultérieure à l'équilibre et au respect du croisement touffu de facteurs et d'aspects, face auxquels nous nous trouvons, et que nous pouvons affronter en utilisant des instruments provenant de la sémiologie, de l'historiographie, aussi bien que de la sociologie ou de la psychanalyse, pourvu qu'on ne perde pas de vue cette complexité. La confrontation entre chercheurs provenant de différentes universités (Allemagne, Belgique, France, Italie, Suisse et Canada) est également un moyen pour poursuivre cet objectif.

Rome, octobre 1988
Graziella Pagliano

Petite dialectique des genres littéraires et des classes textuelles

Jacques Dubois
Université de Liège

En un autre lieu, Pascal Durand et moi-même avons opposé à la notion reçue de genre littéraire la catégorie plus inédite de classe de textes([1]). C'était pour nous l'occasion d'indiquer que la marque sociale subsistait dans l'usage littéraire moderne mais qu'elle avait tendance à se déplacer du pôle des auteurs vers celui des lecteurs. Nous voulions en même temps faire apparaître que la distribution générique des œuvres, aussi répandue qu'elle est incertaine, recouvrait et voilait un autre mode de répartition, non plus d'obédience esthétique ou poétique cette fois mais animé d'un principe de distinction sociale. Ainsi la littérature moderne, tout autonome qu'elle soit en beaucoup de ses aspects, participe à la grande machinerie qui assure la production des différences: elle stratifie les biens qu'elle met sur le marché en fonction de publics distincts. Les ouvrages de littérature se retrouvent de la sorte inscrits sur une échelle de légitimité qui est le répondant des divisions sociales mais qui, à son tour, classe les usagers de cette littérature, en tout cas les reconduit et les confirme dans leur position au sein de la formation sociale. En somme, chaque texte ou livre s'accompagne d'une cote dont la valeur sociologique, on le verra plus loin, est tout à la fois implicite et opératoire. Or, nous le dirons aussi, s'il y a camouflage de cette valeur, c'est en général au système des genres qu'on le doit, système qui fonctionne comme langage de la pureté esthétique et de la rupture avec la trivialité sociale.

Il s'agira ici de reprendre ces vues pour les préciser et les concrétiser quelque peu. L'accent sera mis sur deux thèmes majeurs. On voudrait tout d'abord cerner plus étroitement la notion de classe textuelle et lui donner véritablement contenu. On se gardera de sa trop grande évidence et évitera de lui appliquer la conception ontologisante qui guette toute théorie des genres. Pour nous, une classe se constitue à l'intersection de certains rapports et de certains effets, sans rien posséder d'une entité donnée et substantielle. On s'en avisera d'autant plus — et c'est notre second point — qu'il s'agira de confronter hiérarchie des classes et systèmes des genres. Historiquement, les deux ordres se trouvent pris dans une relation dialectique singulière. Une réciprocité circulaire les unit en même temps qu'elle les oppose. Et c'est au moment où genres et classes se superposent le plus étroitement qu'ils s'excluent le plus radicalement. Cette relation dialectique ne fait sans doute que refléter les contradictions du champ littéraire moderne, divisé entre ce qu'il institue (les genres notamment) et ce qui l'institue.

* * *

Parler de classes, fussent-elles des découpages hautement symboliques, c'est faire référence de toute façon au mode suivant lequel le corps social est structuré et opère des groupements parmi ses agents. Sans articulation aux classes sociales, les classes de textes n'ont pas de signification. Autant dire que l'on ne peut reconnaître ces dernières qu'à la condition de s'appuyer sur un état historiquement défini du champ littéraire et de la société. De même que l'on ne peut assimiler structure féodale et structure capitaliste des classes, on ne peut confondre les classements textuels de l'époque médiévale et ceux qui appartiennent à notre temps. La littérature classique *classait*, comme nous savons, et sur un mode singulièrement codifié. La modernité, dont il sera ici question, le fait en usant de procédures plus souples et beaucoup plus détournées.

La littérature du Second Empire et des débuts de la Troisième République sera ici notre horizon. Rejetés par une collectivité qui les déçoit et les censure, les auteurs du temps s'installent dans un circuit clos d'échange et de communication, marqué par le repli sur soi et la connivence entre semblables. Nerval et Gautier, Baudelaire et Barbey, les Goncourt et Flaubert vivront d'emblée cet isolement sur le double mode de la *mélancolie* et de l'*opposition*, pour reprendre les termes de Chambers parlant des débuts de la modernité(2).

Alors que ces écrivains tendent à s'abstraire de la scène publique, un lectorat de masse, lui, fait son apparition. Nous l'indique, sous le Second Empire, époque de censure et de cautionnement cependant, l'étonnante efflorescence d'une presse qui, en même temps qu'elle se popularise, diversifie la gamme de ses formules pour faire face aux demandes du marché. On voit ainsi coexister le journal pour tous (*Le Petit Journal*), le journal boulevardier (*Le Figaro*), le journal satirique (*La Lanterne*), le journal littéraire, le journal boursier, le journal de mode. Nous entrons dans l'ère d'une production écrite qui accélère son procès de différenciation de façon à capter l'intérêt de chaque groupe en particulier.

Ici, les deux sphères entre lesquelles la production littéraire vient de se scinder semblent prendre des partis opposés. Un climat de crise est d'emblée le lot de la littérature cultivée dans sa pointe avant-gardiste. Déjà la mort du Genre est à l'ordre du jour: poèmes en prose de Baudelaire, parodies de Corbière et de Lautréamont, roman artiste et déconstruit des Goncourt, «livre sur rien» à la Flaubert... Chacun y va de son attaque contre l'édifice institutionnel. De son côté, la littérature dite populaire voit éclater le grand feuilleton des années 40 en de multiples sous-genres. Du roman d'anticipation à la Verne au roman d'aventures à la Aimard, du roman national ou régional à la Erckmann-Chatrian au roman judiciaire à la Gaboriau, ces sous-genres proposent d'eux-mêmes une définition fortement spécifiée et liée à un contenu ainsi parfois qu'à un public destinataire (roman pour enfants). Mais en fin de compte, les deux tendances convergent et se recoupent. L'une n'est que le reflet inversé de l'autre. C'est en réalité la même «anomie distinctive» qui produit ses effets dans les deux cas. Elle s'exprime, selon des modalités opposées, par une prolifération mal contrôlée de la spécificité générique. À chaque fois, il s'agit d'aller un peu plus loin dans la différence. Pour ce faire, la littérature populaire restreint et explicite ses découpages. La littérature novatrice, elle, choisit de les euphémiser en restant dans l'implicite mais sans jamais que le gommage de ses frontières aille dans le sens d'une indistinction. Pratiquer le poème en prose n'est pas tout confondre mais créer un genre par-dessus les genres, et plus singulier qu'eux, d'autant qu'il est le «poème en prose baudelairien». La rupture des normes, l'anomie va ainsi vers une surdétermination du générique, qu'elle soit manifeste ou voilée. Dans un tel contexte, l'entropie menace le système. On le voit dans les années 60 et mieux encore dans les années 80, au temps du symbolisme. Mais, dans l'intervalle, des phénomènes de recentrage ont également lieu: ainsi du roman naturaliste, roman bien calibré, à défini tion très moyenne.

* * *

On peut donc postuler qu'après 1850 se met en place, au cœur de l'institution littéraire, une échelle du lisible, distribution hiérarchisée des textes qui est le répondant symbolique de la hiérarchie sociale. Mais, d'une échelle à l'autre, une distorsion marquante s'est glissée. C'est que l'écrivain a exclu le Bourgeois du circuit littéraire le plus «moderne» et le plus raffiné, réservant à quelques élus de son espèce la jouissance des biens produits. De la sorte, il compensait son déclassement social par un reclassement symbolique. Au même moment d'ailleurs, avec l'image du dandy, retournée en celle du paria bohème, se développait une célébration ritualisée de la différence qui, tout en provenant du romantisme, arrivait à incandescence.

Ainsi l'échelle sociale et l'échelle littéraire ne sont plus exactement calquées l'une sur l'autre. Un biais s'est introduit. Il prend, dès cette époque, la forme d'un classement culturel intermédiaire largement défini par le niveau et la qualité des études accomplies. L'accès à la littérature légitime, la maîtrise de ses codes passent par certains cheminements scolaires. Mais, par-delà le statut social et la dotation reçue de l'école, vient infléchir l'inscription des agents dans la hiérarchie culturelle ce que l'on peut appeler la *position de classe* de chaque individu. Nous sommes alors dans une période de brassage social: classements et déclassements s'opèrent, les «lignages» se complexifient. L'individu perçoit et vit son appartenance en fonction de l'image que les autres lui renvoient d'elle. Qu'il assume bien ou mal son statut, la représentation qu'il en a (et qui structure sa position) joue un rôle dans son classement. Tout ceci affecte singulièrement le champ littéraire. La mobilité sociale est une des grandes thématiques de la fiction d'époque. De la poésie au journalisme, l'homme de lettres est le plus souvent en rupture de classe. Enfin les lecteurs eux-mêmes, — et jusqu'au Lantier de *L'Assommoir* ou à Gervaise Macquart — peuvent voir dans le livre une manière d'acquérir de la distinction.

Si l'échelle des auteurs, des lecteurs et des textes n'est pas strictement le double du classement social, elle n'en est pas non plus le simple effet, même si elle y puise sa détermination majeure. C'est que le découpage de la société, que nous le considérions dans l'abstrait ou sous ses espèces concrètes, engendre un procès largement circulaire. Il est acquis aujourd'hui qu'une civilisation aussi sophistiquée que la nôtre, et notamment dans ses modes de communication, accorde au symbolique (idéologique, culturel, esthétique) un pouvoir d'action ou de rétroaction largement autonome. Aussi, dès le XIXe siècle, la formation sociale suscite-t-elle l'apparition d'agents qui se définissent de plus en plus par les choix culturels qu'ils posent. Choisir un livre ou un écrivain est classer, et classer, c'est toujours à quelque degré se classer, s'identifier à un classement. Dans ce classement, certes, on s'inscrit d'entrée de jeu, mais le choix nouveau fait plus que le reconduire; il le relance en l'instaurant d'une autre manière.

En somme, si la production des différences prend naissance dans le social, elle vient ensuite se réfracter dans le prisme des échelles culturelles pour retourner enfin au social, amplifiée, aménagée, médiatisée. Pour l'époque évoquée, sa manifestation la plus violente réside dans des procédures d'exclusion. L'art moderne donne massivement dans la mise à l'écart de larges fractions du public potentiel. Engendrer la différence, c'est aussi dresser des écrans — parodie, artisterie, hermétisme, non-sens, etc. — entre les terres d'élection et le public large. Le caractère aristocratique de toute littérature de pointe depuis un bon siècle est fondé sur le cloisonnement et la fermeture. Mais, derrière l'effet global de rejet, on peut voir le même dispositif travailler plus finement à la mise en place de réseaux multiples autant que variés. Il vise à ce que chaque groupe, chaque couche y reconnaisse les siens, se reconnaisse en ses biens. L'indexation réciproque des lectures et des lecteurs peut ainsi conduire à des distinguos très subtils, à des associations hautement sélectives. De tels réseaux s'installent par prédilection lors de phases de production abondante où la sphère des lettres subit une implosion démultiplicatrice. Avec sa prolifération de cercles, de programmes et de formes, l'époque symboliste est sans conteste de ces phases-là.

* * *

Les classements littéraires apparaissent de la sorte comme des effets sociaux, pris dans un mouvement incessant de mise à jour et d'ajustement et sans origine absolue. On peut cependant se demander si, d'un point de vue plus étroitement institutionnel, il n'arrive pas que s'exerce sur eux une autorité plus définie, se chargeant de les codifier et de les mettre en application. Ces sortes d'instances ont existé mais dans des domaines voisins de la littérature au XIXe siècle. Ainsi, sous Napoléon Ier, s'est mis en place un classement très concerté des salles de théâtre comme des troupes et répertoires attachés à ces salles; il a eu pour conséquence de stratifier fortement et durablement les publics correspondants. En peinture, ce fut autre chose. Mais le système des carrières passant par ateliers, concours et salons a doté, au milieu du siècle, la peinture académique, ses pratiquants et ses productions, d'une structure elle aussi strictement hiérarchisée([3]). Un pouvoir considérable de cooptation et de classement était institué en différents «maîtres» (ils faisaient d'ailleurs partie de l'Institut), pouvoir que leur déléguait le gouvernement. En dépit de quelques tentatives impériales et censoriales, la littérature n'a rien connu de semblable. D'un autre ordre, ses enjeux économiques et symboliques lui ont assuré un marché plus ouvert. Cela n'exclut pas, bien entendu, que, de l'édition aux programmes scolaires, tout un travail intentionnel d'ordonnancement et de sélection soit à l'œuvre très tôt. Sa traduction la plus actuelle consisterait dans les répertoires de livres à succès qu'édifient, à destination d'un public défini, différents périodiques.

La question de savoir qui ordonne et qui classe est sans doute une question seconde dans notre perspective. En se rappelant sans désemparer que quiconque accomplit un choix se classe plus qu'il ne classe, on admettra que le lieu décisif de la classification littéraire est délimité par les textes eux-mêmes en tant que points d'ajustement entre deux logiques sociales, celle des producteurs et celle des consommateurs. Toujours en voie de transformation, la classe de textes est ce sur quoi se mesurent les deux catégories d'agents du champ et dont ils reçoivent leurs positionnements respectifs. D'un côté, les producteurs tels qu'écrivains et éditeurs, de l'autre les usagers([4]) tels que lecteurs et critiques, avec tout ce que cette bipartition peut avoir de simplificateur en regard du procès d'écriture-lecture. À chaque partenaire, la légitimité des textes s'offre comme un ordre préétabli, intangible, à la fois transparent et opaque.

En résumé, ce sont donc les objets-textes (ou livres) engagés dans le circuit d'échange qui focalisent sur eux la marque sociale dans la mesure où ils valent comme points d'aboutissement de toute la dynamique des effets de classement. À ce titre, la classe textuelle est répertoire et repère. Elle autorise des solidarités remarquables autour d'un genre, d'une série, d'une collection, d'une œuvre. Interprète perspicace des mécanismes institutionnels, Émile Zola avait très tôt compris ces choses. De structure sérielle et de thématique historique-familiale, ses *Rougon-Macquart* sont comme une institution dans l'institution, un puissant appareil textuel à standardiser la lecture (roman moyen et tableau naturaliste), un univers fictif planifié, architecturé, auquel de larges couches viendront commodément adhérer.

* * *

Il y a lieu de ne pas réifier la notion de classe de textes, encore moins de la figer. La classe est éminemment un *niveau*, degré dans une échelle. Elle doit donc être pensée dans sa relation avec d'autres niveaux (en ce sens, l'échelle où elle s'inscrit a quelque chose d'autonome) en même temps que comme ajustement réciproque d'attentes ou demandes de lecture et de propositions ou impositions d'écriture (sans rien dire des pressions éditoriales et du reste). Sorte de case vide donc au départ, qui se remplit, selon conjonctures et opportunités, de tels ou tels produits concrets. Mais tout de même, pour une époque donnée, les classes tendent à se matérialiser en corpus stables et repérables; certains d'entre ceux-ci deviennent même emblématiques de groupes entiers (roman populaire ou vaudeville petit-bourgeois). Dis-moi ce que tu lis et je te dirai qui tu es. On doit se garder cependant des assimilations trop rapides ou des associations univoques. Une classe littéraire homogène peut rencontrer un lectorat hybride, et inversement. La perturbation peut provenir de ce qu'un même genre, dont la destination initiale était circonscrite, finit par s'étendre à plusieurs niveaux de lecture. La double origine intellectuelle (Poe) et feuilletonesque (Gaboriau) du roman policier, la collusion en lui du ludique et du pathétique confèrent au genre une ambivalence qui autorise les classements les plus modulés. Déployé en de multiples variantes et versions, il procurera à la fois des formules adaptées simultanément à plusieurs lectorats (Christie ou Simenon) et d'autres fixées à des groupes lecteurs plus identifiables (la gamme qui va de «Série noire» à «Fleuve noir» et à «SAS»). En tous les cas, nous sommes en présence d'une genre qui, bien que mineur, incarne le principe moderne de différenciation. Sa plasticité sera même exploitée par l'avant-garde lorsque, de Robbe-Grillet à Dürenmatt, elle reprendra ses mécanismes narratifs pour les détourner ou les parodier.

Postuler l'autonomie de l'échelle des niveaux, est-ce suggérer que contenus et formes interviennent peu dans le classement des textes littéraires ou encore que les différenciations s'imposent du dehors laissant les publics s'identifier à des produits quelconques? Nous n'irons pas dans cette direction. Pour nous, l'arbitraire culturel est loin d'être sans limites. Certains éléments de convenance idéologique et de compétence linguistique ou rhétorique jouent un rôle déterminant dans les associations sélectives. Un certain degré de reconnaissance de chaque lectorat dans sa classe textuelle est donc présupposable. Encore faut-il se rappeler que dans toute reconnaissance entre une part de méconnaissance. L'inverse n'étant pas moins vrai d'ailleurs. Les Monsieur Perrichon qui, dans les années 1850, se délectaient et s'esclaffaient au spectacle des pièces de Labiche ne pouvaient le faire qu'en ignorant beaucoup d'eux-mêmes («c'est du Molière», disait-on pour conjurer la ressemblance). À l'inverse, l'artisan parisien qui vribrait aux exploits du Prince Rodolphe d'Eugène Sue rêvait sans doute tout éveillé, mais peut-être n'évaluait-il pas si mal le possible avenir historique de sa classe à travers l'alliance fantasque de la noblesse et du prolétariat. C'est le débat sur le caractère collectif des visions littéraires qui fait ici retour: contentons-nous de lui entr'ouvrir la porte.

* * *

Ainsi la catégorie de classe textuelle est inséparable de celle de genre, elle s'y enracine véritablement. Rappelons en peu de mots quel est le statut du genre dans l'institution. Il y représente, de toute tradition, le grand schème classificateur. Il instaure le texte en tant que littéraire; il l'institue suivant un code de prescriptions; il est l'institution en texte. Donnée élémentaire de l'expérience, le genre se présente comme le régulateur du système des lettres. C'est au point que les catégories génériques les plus larges et les plus constantes finissent par s'imposer en institutions partielles au sein du grand système central. Nous avons parlé à ce propos de balkanisation de ce système. Ainsi poésie ou roman, théâtre ou essai se comportent en secteurs assez indépendants pour devenir, le cas échéant, plus perceptibles aux usagers que l'entité littéraire elle-même. Vus sous cet angle, poésie et roman s'affrontent dans le dernier tiers du XIXe siècle en un puissant combat dont on n'a pas mesuré toute la portée. Leur lutte aboutira à un clivage profond tel que, après les épisodes brillants et convulsifs du symbolisme et du surréalisme, la poésie se retrouvera minorisée et que, de son côté, le roman aura conquis d'immenses territoires, allant jusqu'à coloniser d'autres formes narratives (le cinéma même!), et à se poser en empire sans limites. Reste que le même roman n'a jamais vraiment atteint au crédit prestigieux attaché à la tradition poétique ou encore théâtrale.

L'instance générique assure la socialisation des textes, comme du personnel littéraire, lecteurs compris. Chacun va se qualifiant en référence à un genre. Et, en effet, faire choix de l'un ou de l'autre, c'est s'inscrire dans une lignée ou un réseau, c'est payer de sa fidélité le tribut à une tradition et à ses règles. Le Poète, le Dramaturge, le Romancier incarnent d'ailleurs des rôles sociaux à forte connotation symbolique ([5]).

* * *

Il faut tenter à présent de voir comment s'articulent classes et genres et leurs hiérarchies respectives. En fait, nous sommes en présence de deux dispositifs qui entrent tout à la fois en composition et en concurrence. La pratique littéraire donne à voir, de ce point de vue, trois types de figures:

1° La grille la plus élémentaire correspond à la coïncidence ou superposition des classes et des genres. La tragédie princière, le roman bourgeois, la chanson populaire... Renvoi à une tradition classique sans doute mais aussi à des temps originels dont la pureté native n'a d'existence que mythique. Y a-t-il jamais eu une époque de stricte adéquation entre la bourgeoisie (laquelle ?) et son roman? Tout genre n'est-il pas de constitution composite? À l'inverse, là où un genre vient refluer, en restreignant peu à peu son audience, — la poésie en France aujourd'hui, — il se peut qu'il soit en prise sur un groupe social plus centré et plus défini.

2° La grille dominante, pour l'époque moderne tout au moins, entrecroise au contraire régime des genres et régime des classes. Autrement dit, chaque genre se découpe ou se stratifie selon l'échelle des classes et chaque classe se segmente selon le répertoire des genres. Un tel type d'intersection et surtout la stratification adjacente répondent fort exactement à la double postulation d'une société mercantile et démocratique: le roman pour tous mais aussi une variété de romans adaptés à chaque couche sociale et donc essentiellement rentable. Même la poésie moderne, pratique réservée par excellence, offre des «traductions» moyenne et basse de ses hautes productions (versions faciles, triviales du symbolisme ou du surréalisme, présentes jusque dans la chanson).

3° Le troisième type d'articulation est solution de compromis entre les deux précédents alors même qu'il dérive du système intersectif. Les classes qui découpent et hiérarchisent les grands genres marquent une tendance à se fixer dans des formes génériques secondes, revenant à la confusion entre genre et classe, et bouclant la boucle. Il est malaisé de proposer des exemples précis du phénomène et cependant on voit bien comment se forment des «îlots de spécialisation» s'attachant un lectorat marqué: la biographie ou le roman historique, la science-fiction ou la poésie concrète... Ici à nouveau, chaque genre tend à secréter sa culture, à se créer en cosmos.

Grosso modo, les trois solutions sont historiquement successives. Elles peuvent très bien toutefois coexister. Le naturalisme marque une victoire du roman à l'intérieur d'une économie nouvelle des genres littéraires, mais cette victoire n'empêche pas la poésie parnasienne de se croire triomphante selon une conception différente et un peu attardée de la légitimité littéraire. De toute façon, et l'on va y revenir, si genres et classes entrecroisent leurs effets, ce n'est pas au même titre: là ou les premiers ont une existence hautement manifestée, les secondes correspondent à une structure enfouie et que le discours se plaît à ne pas reconnaître.

* * *

Il y a, aujourd'hui autant qu'hier, une impudeur à évoquer la division de la société en classes. On ne met pas en question le mythe de la cohérence sociale. De même avec les classements littéraires: ils sont rarement avoués. On préfère ignorer que la culture est inégalement partagée et, plus encore, que chaque groupe s'enferme en sa culture. Du côté des lettres, la tradition critique, du Sainte-Beuve Second Empire à Bertrand Poirot-Delpech, fait comme si la littérature était une, sans niveaux ni strates. De là, en conséquence, beaucoup de contorsions langagières pour juger selon le même barême Feuillet et Flaubert ou Troyat et Simon. C'est la classique biffure du caractère historique et social des productions humaines. C'est à quoi s'emploient les genres pour toute une part. Pourquoi classer encore ce qui l'est déjà mais suivant des critères formels et esthétiques (jamais clairs par ailleurs)? Catégories instituées et instituantes, fidèles garants de l'autonomie du système, les genres visent à magnifier la variété littéraire en l'innocentant et en la renvoyant à une ontologie aussi mystérieuse que profonde.

Et pourtant le système fonctionne, la discrimination opère. Cela suppose que le code visible, celui des genres, montre et fasse voir en même temps qu'il cache. Le fait est qu'il pratique la dénégation ostentatoire ou à tout le moins indicatrice. Dans ce que le genre déploie pour oblitérer la marque sociale se discerne une signalétique distinctive qui ne trompe pas ou guère. En somme, le discours générique évoque les classements par le biais d'une rhétorique allusive et indicielle. Indépendamment des sélections effectives qu'opèrent les groupes lecteurs, cette rhétorique a pour support différents indicateurs:

1° des indicateurs *institutionnels* qui correspondent aux circuits de l'édition et de la diffusion (le classement en librairie est un mode indicatif important);

2° des indicateurs *paratextuels* par lesquels les ouvrages se présentent et s'identifient (nom d'auteur, titre, couverture, collection...);

3° des indicateurs *textuels* qui peuvent reposer sur n'importe quel constituant de texte prenant valeur emblématique.

C'est parmi ce faisceau de signes que le lecteur se fraye un chemin. En librairie, au premier regard bien souvent, le livre se désigne à lui dans sa matérialité comme lui étant destiné, comme le désignant et comme si par avance il excluait d'autres clients. Le lecteur y répond par l'acquisition, une acquisition qui, dans le moment, confine à la pure consommation des signes. Par son choix, il rend effectif le classement et son code. La double et réciproque opération, fondée sur une signalétique indirecte et mouvante, n'est pas aisément objectivable; elle pose notamment à l'analyse des problèmes méthodologiques délicats ([6]).

Sur base d'indications partielles et à titre de pure proposition, on suggérera par exemple que la production romanesque du Second Empire se distribuait selon l'échelle que voici:

---

production cultivée	• roman artiste (Goncourt) = *avant-garde*
	• roman réaliste (Flaubert ou Barbey)
	• roman romantique (Sand) = *arrière-garde*

production moyenne	• roman bourgeois (Feuillet)
production triviale	• roman policier (Gaboriau) = *avant-garde* • roman d'aventures (Verne ou Aimard) • roman populaire = *arrière-garde* (P. du Terrail)

Ce n'est là qu'une ébauche: des enquêtes plus complètes et plus méthodiques sont attendues, pour cette période comme pour d'autres. En passant, on notera que, loin des réévaluations ultérieures, la position de pointe, marquée par des indices textuels ou paratextuels exhibés, mérite d'être revendiquée pour l'époque par les Goncourt plus que par Flaubert. Symétriquement, nous avons voulu faire ressortir que la littérature triviale disposait de sa propre avant-garde à travers la reconnaissance d'une stratification parallèle à celle de la haute production.

* * *

Genres et classes coexistent dans une relation dialectique étroite, ne cessant de se transformer mutuellement, ainsi qu'on l'a vu. D'une façon, le système des classes consolide et perpétue celui des genres puisqu'il l'entraîne dans un processus de spécification définitoire. Mais c'est aussi par là qu'il le déborde, l'enraye ou le compromet. Car, par rapport aux grands cadres génériques, dont la stabilité de base reste forte, la catégorisation sociale sous-jacente développe, en fonction des usages, une propension au déploiement anarchique ou sauvage (encore que toujours justifié de façon locale). Ainsi peuvent valoir comme classes textuelles de référence, selon les situations et selon les moments, la littérature classique dans son ensemble ou la littérature russe, la production Charpentier ou le feuilleton du *Petit Journal*, le corpus Zola ou les textes d'inspiration wagnérienne. Ici les digues du générique commencent à céder. Les limites mêmes du champ deviennent incertaines. Des discours non littéraires viennent interférer. Tout, à ce stade, peut faire office de genre ou de classe, de marque ou de mode de reconnaissance.

NOTES

(1) Voir J. Dubois et P. Durand, «Champ littéraire et classes de textes: notes», in *Littérature*, 70, mai 1988, pp. 5-23.

(2) R. Chambers, *Mélancolie et opposition. Les débuts du modernisme en France*, Paris, Corti, 1987.

(3) Voir, à ce propos, l'ouvrage de J. Harding, *Les Peintres pompiers. La peinture académique en France de 1830 à 1880*, Paris, Flammarion, 1980.

(4) Nous préférons ce terme à celui de *consommateurs*, dont les connotations actuelles sont mal appropriées à l'activité de lecture.

(5) Voir notamment, sur cette question, Claude Abastado, *Mythes et rituels de l'écriture*, Bruxelles, Complexe, 1979.

(6) Sur cette question, voir l'excellente contribution de Patrick Parmentier, «Les genres et leurs lecteurs», in *Revue Française de Sociologie*, XXVII, 1986, pp. 397-430, étude qui se complique quelque peu la tâche en ne faisant pas place à une notion comme celle de classe textuelle.

L'écrivain et son image: narration et argumentation dans le récit autobiographique

Antonio Gómez-Moriana
Université de Montréal

Ce n'est que récemment et sous l'impact produit presque simultanément par le structuralisme, la sémiotique et le formalisme russe, que les études littéraires ont centré leur attention sur les principes de composition des textes en tant que totalité organisée et structurée en dépassant ainsi le biographisme, d'une part, conséquence du *fétichisme de l'auteur* en tant que génie créateur et, d'autre part, l'historicisme, base à la fois de la quête traditionnelle des «sources» et de l'étude des grands mouvements idéologiques et sociaux. Mais le structuralisme, dans sa violente réaction contre toute considération diachronique, isole le texte comme s'il s'agissait d'une entité immanente et autotélique, dépourvue de tout ancrage spatial, temporel ou social. Ainsi, si la philologie traditionnelle, imprégnée du positivisme historiciste, entravait la compréhension du texte en tant que totalité cohérente et articulée, le structuralisme immanentiste, en ignorant la tradition dans laquelle s'inscrit tout usage de la parole ou de la plume, entravera la compréhension de l'écriture comme transgression ou, tout au moins, comme dialogue avec la convention sociale.

La possible tension dialectique entre système et procès, tradition et acte (d'écriture comme de lecture), norme et usage, «modèle» et «écart», échappe ainsi au structuralisme immanentiste, inapte à rendre compte des processus historiques et des changements y compris ceux qui agissent sur les systèmes mêmes en tant que structures dynamiques, génératrices des textes dans leurs formes temporelles de réalisation. De plus, le structuralisme immanentiste sera également incapable de saisir les *effets esthétiques* de la tension dialectique entre norme et transgression que sera amenée à produire toute œuvre qui ne se limite pas à la pure reproduction mimétique d'un modèle. C'est le cas de l'ironie, de la parodie, de la subversion totale par (ab)us d'éléments culturellement marqués (le *discours rituel*, par exemple), comme de tout processus de signification basé sur la dialectique entre ce que le signe (plus ou moins complexe) signifie *en soi* et le sens qui lui est donné dans un contexte déterminé, aliénant, ou entre la réserve de son utilisation (de l'ordre du sacré, du tabou, etc.) et la profanation qui en démystifie l'usage; en somme, tous les us et abus de ce que Bakhtine nomme le «discours de l'autre» ([1]). Il faut, pour saisir ce mode de subversion, recourir à un double examen fonctionnel du signe: en tant que système et en tant que procès. C'est de ce postulat que procèdent mes explications, dans des travaux antérieurs, à la fois du texte *Le Lazarillo de Tormes* (1554) et de l'apparition dans l'Espagne des XVIe et XVIIe siècles de l'autobiographisme picaresque en tant que genre, en partant du «modèle» subverti dans la *confession autobiographique* de Lázaro de Tormes: les confessions autobiographiques destinées, de façon directe ou indirecte, au tribunal de l'Inquisition et réalisées sous son ordre (direct ou indirect) ([2]). J'ose affirmer que le *Lazarillo* est au roman picaresque subséquent ce que les pratiques inquisitoriales signalées sont au *Lazarillo*: un modèle discursif transgressé. Une rupture à la fois destructrice et créatrice (Umbau) donne lieu ainsi à un nouveau modèle générateur de toute une série de textes, le dit roman picaresque.

Si j'insiste sur la valeur socio-esthétique de cette «rupture», c'est pour qu'il soit établi clairement que son étude ne relève pas du plaisir historiciste, ni d'un retour au positivisme érudit. Au-delà du plaisir que produit l'érudition en nous révélant l'origine d'une chose (plaisir purement historiciste qui caractérise la traditionnelle quête des sources), il s'agit ici d'une autentique libération — autant dans l'effet inscrit dans le texte même, que dans sa reconstruction «archéologique» moyennant sa mise en série avec d'autres pratiques discursives contemporaines dans l'Espagne qui produit et reçoit ces textes.

La rupture réalisée par le texte libère en premier lieu le lecteur capable de reconnaître le «modèle» mis en jeu, modèle repérable du fait qu'il appartient au répertoire mémorisable de l'expérience quotidienne dans la société-cadre où le texte fut produit. L'auteur anonyme du *Lazarillo* et le groupe de lecteurs qui réunissent les conditions nécessaires à l'intelligibilité du texte en tant qu'«espace dialogique» établissent ainsi une authentique communication qui devrait les ammener à l'éclat de rire libérateur de l'oppression. Parlant d'autobiographie, qu'il me soit permis de vous faire cette confidence autobiographique: la reconstitution du modèle et l'identification dans le texte de *Lazarillo* de la subversion qu'il opère de ce modèle, ont produit également sur moi un effet libérateur de l'oppression idéologique d'une culture mystificatrice d'un passé qui correspondait encore au présent de mon enfance en Espagne. Aussi, en communiquant les résultats de ma recherche, j'ose espérer que d'autres victimes de cette mystification idéologique arriveront à se soustraire à son joug. Je crois qu'il y a quelque chose de révolutionnaire dans le texte *Le Lazarillo de Tormes* et en quelque sorte — permettez-moi l'expression — une certaine «révolution culturelle» dans l'étude que j'en ai faite.

Mon étude ne propose donc qu'une synthèse entre diachronie et synchronie. Synthèse déjà entreprise par le «structuralisme diachronique» bien que les résultats obtenus n'aient abouti qu'à une esthétique étanche à tout dialogue avec le non-littéraire et, par conséquent, à la dimension socio-esthétique de la transgression ou rupture qui nous intéresse avec un discours officiel, ritualisé. Je devrai toutefois situer ma proposition en tenant compte de cette synthèse et de sa traduction en deux concepts, apparemment opposés: «narration» et «argumentation», avec une mise en garde contre les réductions possibles du concept de «modèle» au seul modèle consenti par les traditions reconnues comme *littéraires*.

Pour ce faire, nous devrons, avant tout, ouvrir l'horizon dans lequel s'inscrivent les considérations qui précèdent. Horizon qui est demeuré jusqu'ici limité aux axes paradigmatique et syntagmatique, c'est-à-dire aux interrelations des signes entre eux, avec cette tension plus ou moins constante, particulièrement en littérature, entre le système des virtualités et celui des réalisations concrètes — ce que Charles Morris désignera comme «dimension syntaxique» de la sémiosis. Je propose que nous incluions l'étude des autres relations déjà signalées par Charles Morris dans ses *Foundations of the Theory of Signs*, également en tant que dimensions de la sémiosis: la dimension sémantique et la dimension pragmatique, compléments indispensables de la dimension syntaxique en tout processus de communication, selon Morris ([3]).

Si l'inclusion de la dimension sémantique nous forcera à reviser la conception de la «littérature» — et de l'«art» en général — comme entité autonome et autotélique (dénominateur commun de toutes ces écoles du structuralisme diachronique qui s'accordent pour proclamer l'*autoréférentialité* comme marque de spécificité du langage artistique et littéraire), l'inclusion de la dimension pragmatique nous forcera à considérer les implications sociohistoriques des pratiques *littéraires* (l'écriture autobiographique incluse), au moins, comme «travail interdiscursif». Je m'oppose ainsi à ceux et celles qui nient à la «*Littérature*» sa contingence sociale en lui attribuant une dynamique autogène qui ignore son dialogue continuel avec le monde extérieur. En d'autres mots: je propose que l'autobiographie soit étudiée en tant que «discours» parmi les «discours» d'une société en sondant à travers l'analyse du texte autobiographique la confluence de l'ensemble des agents de la sémiosis communicative, située à la fois dans le temps et dans une société donnée et agissant à l'intérieur des circuits d'interaction verbale (et non verbale) de cette société. Considérer la littérature à l'intérieur des pratiques discursives d'une société, dépouillée donc de toute transhistoricité et réduite au statut d'arbitraire et conventionnel, d'activité sociale, devrait nous amener à découvrir, avec Jacques Dubois, que *la Littérature* n'existe pas, sinon des pratiques spécifiques qui agissent à la fois sur le langage et sur l'imaginaire([4]). C'est ce travail sur le langage qui définit peut-être la spécificité du discours littéraire comparativement aux autres pratiques discursives de toute société, moins «ludiques» et, par conséquent, plus stables. C'est probablement la raison d'être de la littérature et son intervention la plus importante sur l'imaginaire collectif que de soupeser sans arrêt ses propres modèles et *ceux du reste des pratiques sociales*, ce que Walter Moser nomme la «mise à l'essai des discours»([5]).

Cette conviction m'a amené à m'occuper du «modèle discursif» du *Lazarillo*, de préférence à une étude des possibles référents historiques de ses personnages ou des secteurs sociaux cibles de ses satires, et à rompre avec le cadre traditionnel des «modèles littéraires» pour examiner d'*autres pratiques discursives* de la société en question. De sorte que, si en définissant la fonction sociale de la littérature comme «travail sur le langage», je rejoins la considération du langage poétique comme artifice, considération partagée par le *New criticism* et les différentes écoles «stylistiques» de l'Europe, de même que par le formalisme russe et ses différentes séquelles des dernières décennies — je ne me rallie pas pour autant à leur conception de l'évolution littéraire. En réalité, la caractérisation du langage littéraire comme transgression n'a rien de neuf. Les traités rhétoriques de tous les temps constituent de véritables inventaires d'anomalies linguistiques rangées sous les catégories de «tropes» et «figures». Malgré tout, bien que convaincu de l'artifice et de la transgression de la norme comme composantes de base du travail de la littérature sur la langue, je ne peux partager la considération — très répandue — de l'histoire de la littérature, de ses genres (l'autobiographie comprise), comme l'histoire du «montage», «démontage» et «remontage» des artifices (toujours les mêmes) rhétoriques, tout comme de l'analyse de l'œuvre littéraire ne reposant que sur sa qualité d'«ensemble d'artifices» ou une définition des genres littéraires ne les considérant que comme des «types spécifiques» de tels ensembles.

L'étude de l'autobiographie, telle que je la postule ici, ne peut par ailleurs se limiter à l'identification de modèles dans des traditions littéraires qui s'auto-alimentent et s'enchaînent historiquement, soit à travers des réalisations mimétiques des plus fidèles ou encore des ruptures les plus radicales. Il s'agit d'établir l'action dialectique entre l'intrinsèque et l'extrinsèque dans chaque texte, en examinant les stimuli de tout ordre avec lesquels il dialogue. De là la nécessité de dresser des équivalences et des oppositions, tant internes que comparatives, avec les diverses organisations textuelles qui le situent à l'intérieur du texte général de la culture dont il fait partie, et dont il est, à son tour, porteur. L'étude du texte comme *espace dialogique*, selon l'expression de Julia Kristeva inspirée de Bakhtine([6]), constitue donc un authentique défi à l'analyse textuelle, celui de rendre compte du mode sur lequel le texte lit l'histoire et s'inscrit en elle. C'est que le texte littéraire n'est pas uniquement un travail sur le système littéraire, qu'il contribue à faire évaluer, ni sur le subsystème ou genre auquel il appartient. Le texte littéraire travaille sur la langue même et sur toutes les pratiques d'interaction verbale ou non-verbale, artistiques ou non-artistiques, de la société dans laquelle il est produit. C'est ce que je nomme travail interdiscursif. Son lieu privilégié, les pratiques littéraires, particulièrement les narratives, y compris les récits historiques, genre dont, à mon avis, l'autobiographie (tout comme la biographie) est un sous-genre. L'histoire d'une vie comme l'histoire d'un peuple sont ainsi remis dans le même genre.

L'inclusion de l'autobiographie parmi les genres historiques n'est pas du tout évidente, contrairement aux apparences. En mettant en place deux *systèmes* ou «deux plans d'énonciation différents» (histoire et discours) qui se répartissent les «temps» du verbe français et, simultanément, les «personnes», Émile Benvéniste range expressément l'autobiographie sous la catégorie du *discours* au même titre que les «correspondances, mémoires, théâtre, ouvrages didactiques, bref tous les genres où quelqu'un s'adresse à quelqu'un, s'énonce comme locuteur et organise ce qu'il dit dans la catégorie de la personne». Contrairement à l'énonciation historique qui, définie dans un premier temps en trois termes -«récit des événements passés»-, sera définie par la suite comme:

> Le mode d'énonciation qui exclut toute forme linguistique «autobiographique». L'historien ne dira jamais *je* ni *tu*, ni *ici*, ni *maintenant*, parce qu'il n'empruntera jamais l'appareil formel du discours, qui consiste d'abord dans la relation de personne *je*: *tu*. On ne constatera donc dans le récit historique strictement poursuivi que des formes de la 3e personne([7]).

L'énonciation historique se caractérise donc, pour Benvéniste, contrairement à l'autobiographie, par l'emploi du *passé simple* (que Benvéniste préfèrera signaler sous le terme *aoriste*, dénomination grecque du temps historique), et celui de la 3e personne. Au sens de Benvéniste, l'imparfait et le plus-que-parfait sont également des temps historiques; le présent, au contraire, demeure exclus, à l'exception d'un présent qualifié d'«intemporel» par Benvéniste, tout comme le dit «présent de définition»([8]). L'«histoire» est donc constituée par cet agencement du temps et de la personne, qu'il s'agisse de l'évocation de faits historiques proprement dits ou d'inventions d'un romancier. Son affirmation en ce sens est tranchante:

> On peut mettre en fait que quiconque sait écrire et entreprend le récit d'événements passés emploie spontanément l'aoriste comme temps fondamental, qu'il évoque ces événements en historien ou qu'il les crée en romancier([9]).

Au contraire, la «forme autobiographique par excellence» est pour Benvéniste «le parfait à la 1ère personne». Du fait que, comme il l'explique immédiatement après: «Le parfait établit un lien vivant entre l'événement passé et le présent où son évocation trouve place»([10]).

Si l'énonciation historique est ici déterminée par la présentation *objective* des *faits* (vrais ou inventés), sans intervention du narrateur («À vrai dire, il n'y a même plus alors de narrateur... Personne ne parle ici; les événements semblent se raconter eux-mêmes» ([11])), le discours, au contraire, et avec lui l'autobiographie, se distingue, «par contraste», de par sa *situation* pragmatique, par l'indispensable présence de locuteurs, de sujets d'énonciation qui font usage du mot, de la plume avec l'intention d'influencer de quelque façon l'interlocuteur ou le destinataire. Rappellons la définition déjà classique du discours telle que formulée par Benvéniste:

> Toute énonciation supposant un locuteur et un auditeur et chez le premier l'intention d'influencer l'autre en quelque manière ([12]).

Il est évident que la distinction établie par Benvéniste entre énonciation historique et énonciation discursive a pour base la distribution complémentaire des temps et personnes du verbe français, distribution qu'il tentera d'expliquer par le biais de la mise en place de deux axes taxonomiques morphosyntaxiques (par opposition aux grammaires traditionnelles qui ont institué les paradigmes de la conjugaison française à partir, exclusivement, du point de vue morphologique). Cette distinction a fait cependant fortune comme si elle était universelle, malgré le fait qu'une telle distribution complémentaire des temps et des personnes est inapplicable dans d'autres langues. L'allemand, comme l'anglais, n'a recours qu'à l'imparfait pour le récit, à l'écrit comme à l'oral, pour la simple raison qu'aucune autre forme simple n'est connue au passé dans ces langues; le latin, comme l'espagnol entre autres, utilise toujours l'*aoriste* (indéfini) à la 1ère personne comme à la 3e, de sorte qu'il n'existe aucune différence temporelle entre la narration à la 3e personne et la narration à la 1ère personne. L'exemple par antonomase de l'*aoriste* latin est précisément la phrase célèbre de César: «veni, vidi, vici». Il serait difficile dans cette phrase d'établir une démarcation entre «histoire» et «autobiographie», au sens où Benvéniste les différencie.

Le prétérit épique fonctionne dans toutes ces langues, à la 1ère personne comme à la troisième personne, voire même à la 2e personne du singulier ou du pluriel. Mais surtout la distinction est irrecevable du point de vue des théories narratives modernes et de celui de la théorie des actes du langage. Que l'*énoncé* ait le même sujet grammatical ou un autre, le *sujet de l'énonciation*, qu'il soit explicite ou non dans le texte, est toujours un sujet individuel ou collectif qui parle à la première personne, du singulier ou du pluriel. Il n'existe pas d'énoncé sans énonciation, sans sujet énonciateur qui l'assume dans un *acte de parole*([13]). Par conséquent, entre un discours du «je» (ou «nous») sur lui-même et un discours sur les deuxièmes et troisièmes personnes (du singulier ou du pluriel) où c'est également «je» (ou «nous») qui parle, la différence ne tient qu'à l'*objet* du discours, aucunement au sujet énonciateur. Il s'agit donc toujours d'une première personne qui garantisse l'énoncé en tant qu'instance énonciative, tout en se constituant en sujet énonciateur([14]). De sorte qu'il m'est permis d'inclure au genre autobiographique l'autobiographie écrite (ou dictée, dans le cas d'Ignacio de Loyola par exemple) à la 3e personne, modalité très chère aux jésuites et couramment interprétée comme un geste d'humilité([15]). Notons-le comme une rupture avec le mode traditionnel de l'autobiographie spirituelle édifiante, rupture qui à son tour en vient à constituer un modèle générateur de nouveaux textes.

Il ne s'agit pas dans les considérations précédentes d'un retour au subjectivisme individualiste, à la conception de l'auteur comme véritable démiurge organisateur, *créateur* du texte de l'autobiographie, de la biographie et de toute «histoire» en général. Si je parle de *discours narratif*, en regroupant ses sous-genres et en les caractérisant comme énoncés d'un sujet individuel ou collectif plié sur son passé pour expliquer son présent, c'est précisément afin de démontrer que l'autobiographie fonctionne sur la double tension qui caractérise toute narration. Puisque discours, il faudra comprendre qu'elle s'adresse toujours à un destinataire; ou du moins, à ce narrataire explicite ou implicite qu'elle interpelle avec l'intention de l'«influencer en quelque manière». En sa qualité de convention sociale, tout discours s'inscrit, de plus, dans un cadre social, conformément à la logique que tout récit «cohérent» devra respecter dans la norme qui régit l'usage de la parole (et du genre), en fonction aussi des valeurs reconnues aux actes, aux gestes et à la parole; en somme, sur ce répertoire des impératifs de conduite (aussi bien éthique que linguistique) et des aspirations (individuelles ou collectives) que tout individu intériorise inconsciemment dès sa plus tendre enfance et qui constituent l'instance parentale, sociale, du *surmoi*. De plus, cette double tension est souvent conflictuelle dans l'autobiographie, du fait que le sujet, dans sa stratégie de sélection et d'organisation du récit, est plus ou moins conscient qu'il sera lu par des individus ou des groupes sociaux dont la nature cognitive et affective varie énormément.

Le *Lazarillo*, conformément à ce que je crois avoir été en mesure de prouver dans des travaux antérieurs([16]), démontre une extraordinaire prise de conscience de toute cette réalité, que l'auteur anonyme parvient à démasquer. Si d'une part, il imite fidèlement le modèle pré-construit et répétitif en tant qu'officialité discursive ou rituelle; d'autre part, il le surcharge d'anecdotes folkloriques (lesquelles mettent en évidence le caractère fictif de la *vie* racontée). De plus, il assure une telle cohérence entre les «*faits*» relatés et la situation finale qui en découle, qu'avec la même force qui met en évidence la valeur fictive de son récit, il contribue aussi à sa vraisemblance. La vraisemblance est indispensable à la *persuasion* (davantage même que la vérité), au discours bien organisé doté de cette capacité de séduction rhétorique des juges et de l'auditoire dont déjà Platon se lamentait et dont Gorgias nous livrait un exemple probant dans la *laudatio* d'Hélène et dans le discours de la défense de Palamède. À cet artifice du texte fort bien travaillé est dénoncé en complément dans le prologue *la double intentionnalité* de ces écrits, illustrée par le parallèle qu'il établit entre l'action du soldat qui met sa vie en danger et le sermon de l'étudiant en théologie (combien ce dernier désire le salut des âmes). Le mobile intime de ces actions étant, aux dires de Lázaro, «le désir de louange», désir exploité également par le truand qui réussit à aduler le chevalier. Le *Lazarillo* comporte ainsi un travail sur le langage, sur les pratiques discursives rituelles et sur d'autres moyens d'interaction, verbale ou non verbale, en vigueur dans son environnement et désarticulés par le texte. Ce sont, à mon avis, des indices sur la façon dont le *Lazarillo* lit l'histoire et s'inscrit en elle. D'autres textes font preuve d'un degré de conscience beaucoup plus faible, ce qui ne veut pas dire qu'ils ne fonctionnent pas selon le programme déjà tracé par la rhétorique traditionnelle dans la sélection des éléments (*inventio*) qui seront transmis, la stratégie d'agencement (*dispositio*) et la formulation dans le «ton» le plus pertinent à la finalité visée (*elocutio*). Je suis persuadé que le *Libro de su vida* de Thérèse d'Avila analysé dans cette perspective révélerait des subtilités dialectiques que l'apparente ingénuité du texte ne laisse pas soupçonner.

Cette *finalité*, et la *pertinence des moyens* pour y arriver, n'est pas l'œuvre du seul individu derrière sa plume. Il s'agit ici de variables socio-historiques, conjoncturelles, qui agissent en «stimuli» de sorte que toutes les techniques rhétoriques déployées ne sont que les composantes d'une «*réponse*». L'histoire de l'autobiographie ne devrait par conséquent se limiter à l'histoire des écrits, ni à sa classification sur le principe des «modèles» et «écarts», comme si chaque courant nouveau n'était autre chose que le résultat d'une rupture avec le modèle antérieurement en vigueur. Je propose que soient inclus ces stimuli (variables socio-historiques) avec lesquels toute autobiographie établit un dialogue (conscient ou inconscient) dans son argumentation discursive. C'est, par ailleurs, ce dont il s'agit dans le discours narratif en tant que réponse à un stimulus: des (auto)-représentations fonctionnelles qui obéissent à toute une série de postulats axiologiques (plutôt qu'à un véritable horizon d'attentes purement générique ou littéraire). Pas toujours explicites dans le texte, ces postulats doivent être dépistés en fonction de leur présence au moins implicite dans la sujétion ou la résistance de la part du narrateur qui, sans le dire, gère son texte d'*après* ou *contre* ses exigences ([17]).

Un exemple tiré de notre expérience quotidienne pourra être utile à la compréhension de ce dialogue individu-société dans lequel j'inscris le récit autobiographique. D'autre part, je crois que l'exemple en question ne nous éloignera pas totalement du sujet, car à l'intérieur de ses limites propres il pourra être considéré comme une forme (brève) d'autobiographie (fonctionnelle). Je fais référence au *curriculum vitae*. Dans un monde aussi marqué que le nôtre par la division du travail, la (sur-) spécialisation est un impératif dans tous les secteurs de la vie. Quiconque répond à une offre d'emploi devra, par conséquent, construire un *curriculum vitae* qui *corresponde* le mieux possible à la *spécialité* décrite. Ce sera le critère (plus ou moins conscient) auquel le sujet énonciateur aura recours en scrutant sa mémoire pour *sélectionner* les cours suivis durant sa formation aussi bien que les activités professionnelles *pertinentes*. Certaines activités d'ordre académique ou professionnel seront passées sous silence... Il en sera ainsi toutes les fois où elles seront jugées non-applicables ou concurrentielles avec la véritable formation requise pour le poste annoncé. De plus, un même individu à la recherche d'un emploi pourra simultanément postuler deux postes. Dans ce cas, il devra fort probablement préparer non pas un seul *curriculum* mais deux. Ce sera l'unique moyen de répondre adéquatement à la spécificité exigée par chacun des stimuli extérieurs. Il est indéniable que dans les deux cas ces *curricula* auront de nombreux éléments en commun, surtout dans l'aspect formel de leur présentation. Ils seront aussi sans doute sous d'autres aspects très différents, en particulier dans leurs contenus, la personnalité décrite dans son cheminement historique, attendu que cette personnalité et son cheminement devront répondre dans chacun des cas à une fonction différente. La «vérité» d'un *curriculum vitae* prend racine dans cette dimension de *fonctionnel*. Elle permet une lecture de la tension stimulus — réponse ou, en d'autres mots, de la tension sujet énonciateur — société cadre dans laquelle le texte s'inscrit. Ce serait par contre une erreur de lecture, en absence des textes publicitaires décrivant les deux postes, d'analyser le seul texte disponible, celui de chacun des deux *curricula* hypothétiques, comme s'il s'agissait de textes autonomes et autotéliques. C'est à cette pratique, qui ignore le contexte de production d'où émerge le texte, que le structuralisme immanentiste sous ses diverses formes nous a amené, tout comme le psychologisme individualiste avec toute la profondeur, d'autre part, dont peut faire preuve une telle (psycho) analyse. Elle sera toujours *partielle*, compte tenu qu'elle porte sur le ça sans se préoccupper trop du *sur-moi*. De plus, souvent, en centrant l'analyse sur le ça, on croit analyser l'individualité subjective de l'auteur, ce qui constitue un retour au biographisme traditionnel abordé précédemment.

Pour pallier à ces carences du *curriculum vitae* — de l'autobiographie et peut-être de toute historiographie — je propose à cet égard que l'on examine, en plus du texte en question, cet *autre texte* (explicitement absent mais omniprésent dans le dialogue implicite qu'il génère). Il s'agit simplement d'analyser le texte en tenant compte de tous ses sous-entendus et des suppositions, tout comme des présupposés d'information avec lesquelles il entre en dialogue. Un *curriculum vitae* — une autobiographie — se présente alors comme un syllogisme incomplet, un «*enthymema*» dont la prémisse majeure (présupposée) sera la description du poste vacant — l'«horizon» partagé par le sujet énonciateur et ses multiples destinataires, à la fois l'espaciale, le temporaire, et (plus spécialement) le cognitif et l'axiologique, dans le cas d'une autobiographie plus vaste et destinée à être publiée. Le texte du *curriculum* — de l'autobiographie — ne sera rien d'autre qu'une prémisse mineure. En tant que tel il faudrait analyser la partie verbale actualisée. Le contexte, tel que décrit, est considéré ici comme partie *intégrante* d'un tout beaucoup plus vaste et plus complexe que la somme des phonèmes, morphèmes et lexèmes que le sujet énonciateur émet ou transcrit dans l'acte de communication. La conclusion pourra être explicite ou implicite et c'est à travers celle-ci qu'il sera possible de juger de la justesse du choix des moyens rhétoriques mis en jeu par le sujet émetteur. En acceptant cette hypothèse, on s'entend pour dire que le *curriculum vitae* — l'autobiographie — n'est rien d'autre qu'une argumentation en réponse à une variable conjoncturelle en guise de stimulus. Au-delà de l'image individuelle (incomplète dans tous les cas et bien souvent déformée) du sujet qui prend la parole ou manie la plume, il faudra interroger le *curriculum* — l'autobiographie — eu égard à l'*horizon social* des attentes dans lequel il s'inscrit. Cette hypothèse n'est pas une nouvelle découverte, elle se rapporte aux premiers pas de la rhétorique — les sophistes grecs — qui plus tard donneront naissance aux traités latins de l'art oratoire et à nouveau aussi à l'apologétique théologique et aux traités d'argumentation très répandus au XVIe et au XVIIe siècles (ce que Perelman nomme «L'empire rhétorique»([18])). Je fais simplement marche-arrière dans le but de connecter les théories narratives et discursives modernes aux modèles sophistiques et à l'oratoire classique développé par Rome, à la fois pour sa fonction juridique (défense de l'accusé) et politique (technique de manipulation du sénat comme du peuple) et en tant aussi que technique applicable à n'importe quelle autre fonction. Cette dimension fonctionnelle prend une autre orientation lorsque les jésuites, par exemple, se l'approprient et l'utilisent dans leurs argumentations théologiques ou pour l'oratoire sacré, ou encore lorsque le monde moderne la récupère pour des stratégies de publicité commerciale et de massification de la consommation, des goûts, des idées, phénomènes auxquels nous assistons, sans défense, dans la vie de tous les jours. C'est à travers l'observation de ces fonctions et du mode de l'argumentation qu'il faudra établir l'histoire des modèles autobiographiques et des changements. Matière et forme (ou contenu et style), individualité et corps social s'y trouvent réunis. Les faits de l'histoire de l'autobiographie finissent ainsi par révéler du même coup les données de l'histoire collective, en tant que témoignages non pas d'un seul individu mais de toute une mentalité collective. Nous devrions trouver là l'explication de la prédominance à certaines époques de l'autobiographie spirituelle et celle de soldats, avec simultanément la picaresque en contrepoint; alors qu'à une autre époque avec, d'une part, un processus de sécularisation et, d'autre part, le passage de la mentalité féodale à la mentalité bourgeoise, surgit un nouveau style autobiographique traversé d'un nouveau type d'«aventure» et de mérites qui coïncide avec la disparition de la picaresque, du moins dans son «ton» premier, probablement du fait que ce «ton» était alors le style dominant.

Revenons au *curriculum*, cette fois avec un exemple concret. Parmi les centaines de *curricula* (authentiques autobiographies dans plusieurs cas, conservées aux «Archivos de Indias» de Seville) d'individus sollicitant des postes en Amérique hispanique, figure celui présenté par Cervantes. Tous les biographes nous ont rapporté cette démarche entreprise sans succès par Cervantes. C'est peut-être grâce à ce refus que nous héritons aujourd'hui de textes comme le *Quichotte* et les *Nouvelles exemplaires*. Fait certain, ce document nie, par exemple, l'affirmation souvent reprise selon laquelle son père n'aurait pas fait de son mieux pour recueillir le montant de la rançon exigée durant la captivité de Cervantes en Algérie, après avoir liquidé sa maigre fortune pour la libération d'un autre de ses fils, Rodrigo de Cervantes, lui aussi prisonnier en Algérie. D'autres noms et faits curieux ressortent des témoignages allégués. Mais, beaucoup plus que les données sur la vie de Cervantes, ce sont les silences et les lacunes qui ont su retenir mon attention; je crois y cerner un critère intéressant de sélection qui correspond, très certainement, à la stratégie privilégiée par Cervantes en vue d'obtenir le poste qu'il sollicitait. Tout comme Ignacio de Loyola par l'entremise du P. Rivadeneira, Cervantes se présente en ayant recours à un «rapporteur», le docteur Nuñez, qui construit tout un *curriculum* mettant en relief les services de Cervantes à «sa majesté»([19]), en particulier en tant que soldat ayant perdu un bras à Lepante, ayant combattu auparavant en Italie, à la Coleta et en Tunisie, soulignant aussi la longue captivité en Algérie. Cet auto-portrait sera accompagné d'un document du Duc de Sesa et d'une réponse rédigée par le père de Cervantes en 1578, incorporée à ce *curriculum* sous une nouvelle rubrique datée du 29 mai 1590 à Madrid. La présentation advient, sans aucun doute, quelque temps après, car le texte commence sur cette déclaration: «qu'il a servi il y a vingt-deux ans dans la bataille navale, où touché d'un coup d'arquebuse il a perdu une main». La bataille de Lepante remonte au 7 octobre 1571, 22 ans plus tard nous amène à 1593. Au moment où il monte ce *curriculum*, Cervantes a donc déjà connu le succès pour des pièces théâtrales comme *La destrucción de Numancia, Los tratos de Argel* et *La batalla naval*; il a apporté toute une série de changements à la «comedia», selon son propre témoignage dans un autre *curriculum vitae*, de *Lettres* plutôt que d'*Armes* celui-là ([20]). Il a publié *La Galatea*; il a épousé Catalina de Salazar y Palacios... Rien de tout cela n'apparaît dans ce *curriculum*, tout comme dans cet autre mentionné précédemment, il n'évoquera en rien sa vie de soldat. Dans ce cas, puisqu'il s'agit de la publication de ses œuvres théâtrales non représentées, on s'explique qu'il n'aborde que son activité dans ce secteur précis. Par contre, il eût semblé plus logique qu'il présente un curriculum plus complet pour solliciter un poste en Amérique. Pouvait-on envisager dans l'Espagne du XVIe et du XVIIe que les services d'un auteur de «comédies», de romans ou de poésie soient retenus par ses majestés? De toute apparence la réponse est négative. Du moins, Cervantes aura évalué que ce type d'activités n'était pas pertinent à l'obtention d'un poste en Amérique.

Les considérations qui précèdent montrent — je l'espère — la nécessité d'une lecture du texte autobiographique que j'appellerai «symptomatique», dans le sens où cette lecture révèle, plutôt que la personnalité de celui qui tient la plume, un état de société ou un processus social caché, dont le texte autobiographique constitue le signe.

On pourrait me reprocher de confondre autobiographie et mémoires, deux genres bien différenciés dans les définitions fournies par Georg Misch ([21]) ou par Philippe Lejeune ([22]). Si les deux auteurs mentionnés basent leurs distinctions sur l'opposition individu-monde, Lejeune en tire en plus la conséquence que la «naissance de l'autobiographie» (de l'accent «sur la vie individuelle», de l'histoire d'une «personnalité») coïncide avec la naissance d'une conscience (bourgeoise) de la propre subjectivité individuelle et personnelle. C'est ainsi dans le *cogito* cartésien et surtout dans les *Confessions* de Rousseau qu'il faut chercher les origines de l'autobiographie. La naissance de l'autobiographie coïnciderait ainsi avec la naissance d'une «logique de l'individuel», d'une science de la «particularité des phénomènes» et de «l'irréductibilité de l'individu», ce dernier étant également le sujet et l'objet de la connaissance. L'essor du genre autobiographique coïnciderait en outre avec l'intérêt de la modernité pour les «cas singuliers» de la psychologie et de la criminalité([23]). Dans mon hypothèse de travail, le genre autobiographique trouve ses antécédents dans les *Confessions* d'Augustin ou dans l'*Epistola calamitatum mearum* d'Abelard. Les autobiographies spirituelles qui prolifèrent en Espagne aux XVIe et XVIIe siècles (tout comme leur contrepartie, le roman picaresque) s'inscrivent à mon avis dans cette tradition, de même que ceux des piétistes allemands ou français de l'époque. De ma perspective, plutôt que la recherche de la «naissance de l'autobiographie» au XIXe siècle français, c'est l'évolution de ses modalités discursives qu'il faut chercher d'après l'évolution des mentalités collectives avec lesquelles toute écriture autobiographique entre en dialogue. Toute autobiographie pourrait ainsi être lue comme signe (symptomatique) d'un cadre social (implicite). Le statut et la fonction de l'écrivain en France au XIXe siècle, tel qu'ils nous sont révélés par le témoignage des écrits autobiographiques ne résultent donc pas de la lecture des contenus explicites de ces récits, mais plutôt d'une analyse des stimuli (implicites) qui les ont suscités.

Ainsi je propose que si les *Confessions* d'Augustin nous révèlent une mentalité théocentrique et un discours métaphysique et moral en même temps, les écrits autobiographiques de Rousseau nous révèlent, tout comme les autobiographies espagnoles destinées au tribunal de l'Inquisition, une censure sociale et un discours juridique de défense([24]). Dans cette même perspective, Flaubert pour sa part nous révèle une mentalité biologique exprimée par l'intermédiaire d'un discours médical. Le dénominateur commun de toutes ces autobiographies serait la reconnaissance d'une normalité par rapport à laquelle se constitue une anomalie, objet du récit autobiographique.

Cette *anomalie* s'appelle «*culpa*» (péché) chez Augustin, «délinquance» chez Rousseau, «maladie» chez Flaubert. L'instance (l'Autre) qui définit une telle anomalie sera Dieu et la Loi (divine) chez Augustin et la civilisation en conflit avec la loi naturelle chez Rousseau, l'Autre flaubertien étant de nature «bio-médicale». Le contenu du récit correspond à la marque discursive mentionnée. Ainsi, Augustin narre l'histoire de sa personnalité actuelle (au moment du récit) à partir d'une dialectique (grâce — péché) reconnue par sa conversion, cette conversion marquant une rupture entre son «alter ego» (passée) et son état actuel (qui est néanmoins le résultat des événements narrés); Rousseau établit une dialectique entre «nature» et «civilisation», et sa conduite, «extravagance», se définit par la loi de la nature, en conflit avec la norme sociale; pour Flaubert cette dialectique sera l'opposition hygiène - infection, et le contenu narré sera l'histoire de la maladie et de la mort.

À vous de juger si l'attitude de Flaubert, très rapidement esquissée, correspond à un refus global de l'écrivain comme malade (corporel et/ou mental) de la part de la société française du XIXe siècle, refus dont l'œuvre autobiographique de Flaubert constituerait (volens, nolens) un «symptôme».

NOTES

(1) Cf. Mikhail Bakhtine / V.N. Volochnov, *Le marxisme et la philosophie du langage*, Paris, Les Éditions de Minuit, 1977 (original russe publié à Leningrad en 1929 et 1930), voir en particulier la 3ème partie, chapitres 8 à 11.

(2) Voir ma communication au deuxième colloque international de la Baume-lès-Aix, dans *L'Autobiographie en Espagne. Actes du IIe Colloque International de la Baume-lès-Aix, 23-24-25 mai 1981*, Aix-en-Provence, Université de Provence 1982, pp. 69-94. *Poétique* a publié la version française de cette communication dans un numéro spécial sur *L'Autobiographie* (n° 56, novembre 1983). Autres travaux réalisés par moi sur le *Lazarillo* et le roman picaresque dans *Lecture idéologique du Lazarillo de Tormes*, Montpellier, C.E.R.S. 1984 (vol. 8 de la série co-textes) et *La subversion du discours rituel*, Longueuil (Québec): Éditions du Préambule (collection *L'Univers des discours*), 1985.

(3) Cf. Ch. W. Morris, «Foundations of the Theory of Signs», in *International Encyclopedia of United Science*, 1, 2, Chicago, University of Chicago Press, 1938.

(4) Jacques Dubois, *L'Institution de la Littérature*, Bruxelles, Nathan-Labor, 1978, p. 11.

(5) Cf. Walter Moser, «La mise à l'essai des discours dans *L'Homme sans qualités* de Robert Musil», in *Revue canadienne de littérature comparée*, vol. 12 (1985), pp. 12-45.

(6) Cf. Julia Kristeva, «Le mot, le dialogue, le roman», in *Séméiotikè. Recherches pour une sémanalyse*, Paris, Éditions du Seuil 1969, pp. 143-173.

(7) Émile Benvéniste, «Les relations de temps dans le verbe français», in *Problèmes de linguistique générale I*, Paris, Gallimard 1966, pp. 237-250 (citation de la p. 239).

(8) *Ibid.* Comparons cette distribution complémentaire des temps à celle réalisée par Harald Weinrich pour les mêmes années. Weinrich établit une distinction entre les temps du monde commenté (besprochene Welt) et les temps du monde narré (erzählte Welt). Les temps les plus couramment utilisés dans le registre du monde commenté sont le présent, le futur et le passé composé; pour le registre du monde narré, on a recours à l'imparfait, le passé simple, le plus-que-parfait et le conditionnel (*Tempus. Besprochene und erzählte Welt*, Stuttgart, Klett-Verlag 1964). Dans un travail postérieur où il revient sur le sujet («Les temps et les personnes», in *Poétique*, n° 39, septembre 1979, pp. 338-352), Weinrich propose à nouveau cette distribution binaire, cette fois comme base possible de distinction littéraire entre le narratif et le non-narratif. Il est évident que dans le *narratif* de Weinrich sont inclus autant l'*histoire* que l'*autobiographie*, séparées par Benvéniste. C'est ce concept de narratif qui constitue la première composante du titre de mon travail (*narration*) et en

deuxième lieu j'ai ajouté l'*argumentation* comme autre composante afin d'insister en même temps sur la dimension discursive du récit autobiographique. Il s'agit de deux *dimensions* du texte et non pas d'une distinction typologique ou de genres, objectif poursuivi à la fois par Benvéniste et par Weinrich. Je rejoins aussi ici la distinction établie par Todorov dans «Les catégories du récit littéraire» (dans *Communications*, 8 (1966), pp. 125-151) entre «les événements rapportés» — qu'il nomme «histoire» — et «la façon dont le narrateur nous les fait connaître» — que Todorov nomme «discours». Je crois en effet que toute narration est argumentative et j'appuie ma thèse sur cet axiome en regard des conditionnements historico-sociaux qui déterminent les changements de perspective dans le choix et l'ordre stratégique du matériel narratif dans tout récit historique, plus particulièrement dans l'autobiographie.

([9]) Benvéniste, *loc. cit.*, p. 243.

([10]) *Ibid.*, p. 244.

([11]) *Ibid.*, p. 241. «Le temps fondamental — ajoute Benvéniste — est l'aoriste, qui est le temps de l'événement hors de la personne d'un narrateur.»

([12]) *Ibid.*, p. 242.

([13]) Oswald Ducrot dans *Les mots du discours* (Paris, Les Éditions de Minuit, 1980) insiste dans ce sens sur la nécessité d'admettre que «des énoncés se produisent, autrement dit qu'il y a des moments où ils n'existent pas encore et des moments où ils n'existent plus». «Ce dont j'ai besoin — insistera à nouveau Ducrot — c'est que l'on compte parmi les faits historiques le surgissement d'énoncés en différents points du temps et de l'espace. L'énonciation c'est ce surgissement» (p. 34). Ducrot introduit ainsi ce volume collectif consacré aux expressions françaises qui illustrent ce qu'il nomme «un dire caché derrière le dit».

([14]) Cf. Mieke Bal, *Teoría de la Narrativa*, Madrid, Cátedra, 1985, en particulier III, 2. «El narrador» (pp. 126-132). Mieke Bal distingue trois dimensions dans l'œuvre narrative: la *fable* (séquence logique et chronologie des faits), l'*histoire* (sa présentation) et le texte (œuvre du narrateur).

([15]) Ainsi l'explique Frank Bowman dans «Le statut littéraire de l'autobiographie spirituelle» (p. 320), en ramenant le *Relato* d'Ignacio de Loyola à celui d'Henry Suso, qui relate sa vie à la troisième personne et se nomme lui-même «le serviteur du savoir éternel», tout comme les papes se réfèrent à eux-mêmes à titre de «serviteur des serviteurs de Dieu». Sur cette forme d'écriture autobiographique, cf. Philippe Lejeune, *Je est un autre* (Paris, Éditions du Seuil, 1980), sur les différentes formes de réalisation du genre autobiographique, voir Elizabeth Bruss, *Autobiographical Acts. The Changing Situation of a Literary Genre*, 1976.

([16]) Voir en particulier mon travail intitulé «Procédés de véridiction dans le roman picaresque espagnol», in *Le vraisemblance et la fiction. Recherches sur le contrat de véridiction, Colloque de Montréal 1974*,

Série Colloques, n° 2, Montréal, Université de Montréal, 1980, pp. 12-25. Autres travaux, en note 2.

([17]) Que nous sommes loin de cette liberté qui, selon Starobinski, caractérise l'écriture autobiographique:

Les conditions de l'autobiographie ne fournissent qu'un cadre assez large, à l'intérieur duquel pourront s'exercer et se manifester une grande variété de «styles» particuliers [...]. Ici, plus que partout ailleurs, le style sera le fait de l'individu [...]. Dans ce récit où le narrateur prend pour thème son propre passé, la marque individuelle du style revêt une importance particulière, puisque, à l'autoréférence explicite de la narration elle-même, le style ajoute la valeur autoréférentielle implicite d'un mode singulier d'élocution [...]. La valeur autoréférentielle du style renvoie donc au moment de l'écriture, au «moi» actuel [...]. La «vérité» des jours révolus n'est telle que pour la conscience qui, accueillant aujourd'hui leur image, ne peut éviter de leur imposer sa forme, son style. Toute autobiographie — se limitât-elle à une pure narration — est une auto-interprétation [...]. Si douteux que soient les faits relatés, l'écriture du moins livrera une image «authentique» de la personnalité de celui qui «tient la plume».

(«Le style de l'autobiographie», in *Poétique*, 3, (1970), pp. 257-265, citation des pp. 257-259.)

([18]) Cf. Ch. Perelman, *L'empire rhétorique. Rhétorique et argumentation*, Paris, 1977. Perelman parle du «déclin de la rhétorique» vers la fin du XVIe siècle comme un phénomène «dû à la montée de la pensée bourgeoise qui a généralisé le rôle de l'évidence, qu'il s'agisse de l'évidence personnelle du protestantisme, de l'évidence rationnelle du cartésianisme ou de l'évidence sensible de l'empirisme» (p. 21).

([19]) Archivos Generales de Indias, Patronato real, legajo 253: «Ynformacion de Miguel de Cerbantes de lo que ha seruido a su magestad y de lo que a hecho estando captiuo en Argel y por la certificacion que aqui presenta del duque de Sesa se vera como quando le captiuaron se le perdieron otras muchas ynformaciones fées y recados que tenia de lo que hauia seruido a su magestad», cf. transcription paléographique du texte, par Mario Gómez-Moriana, dans *Hispanic Issues*, vol. 2 (1988), pp. 247-280.

([20]) Dans le «Prólogo al lector» de son édition de *Ocho comedias y ocho entremeses nuevos nunca representados* (Madrid, Viuda de Alonso Martin, 1615), Cervantes écrit: «se vieron en los teatros de Madrid representar Los tratos de Argel, que yo compuse, La destruycion de Numancia y La batalla naual, donde me atreui a reduzir las comedias a tres jornadas, de cinco que tenian: mostre, o, por mejor dezir, fui el primero que representasse las imaginaciones y los pensamientos escondidos del alma, sacando figuras morales a teatro, con general y gustoso aplauso de los oyentes; compuse en este tiempo hasta veynte comedias o treynta, que todas ellas se recitaron sin que se les ofreciese ofrenda de pepinos ni de otra cosa arrojadiza: corrieron su carrera sin siluos, gritas ni baraundas. Tuue otras cosas que ocuparme, dexè la pluma y las comedias, y entro luego el monstruo de naturaleza, el gran Lope de Vega...» (Cervantes, *Comedias y entremeses*, Edición de Schevill y Bonilla San Martïn, vol. 1, pp. 7-8).

(21) Cf. Georg Misch, *Geschichte der Autobiographie*, Frankfort/Main, 1949-1969 (3e édition). Misch distingue entre autobiographie et mémoires selon que la relation entre le moi de l'écrivain et le monde extérieur soit actif ou passif: «Der Bezug des Menschen zur Umwelt kann aktiv oder passiv gefasst werden. Hieraus lässt sich der Unterschied zwischen Selbstbiographien und Memoiren ableiten» (vol. 1, 1, p. 17).

(22) Cf. Philippe Lejeune *L'autobiographie en France*, Paris, 1971; *Le pacte autobiographique*, Paris, Éd. du Seuil, 1975.

(23) Cf. Michel Foucault, *Surveiller et punir. Naissance de la prison*, Paris, Gallimard, 1975.

(24) Dans *L'œil vivant* (Paris, Gallimard, 1961), Jean Starobinski affirme expressément de Rousseau: «Il a pris la plume pour revendiquer une innocence essentielle» (p. 99).

Le récit comme rituel fétichiste du marché: le cas Maupassant

Charles Castella
Université de Neuchâtel

Dans le droit fil de mes précédentes analyses des romans([1]), puis des récits fantastiques([2]) de Maupassant, j'aimerais aujourd'hui vous exposer un nouvel état de mes travaux sur les contes et nouvelles réalistes, travaux qui avaient fait l'objet d'un premier bilan publié voici quelques années déjà([3]).

Je placerai en exergue quatre citations en référence auxquelles je vais essayer d'éclairer l'orientation de ma démarche, et je commencerai par celle qui concluait l'exposé évoqué ci-dessus([3]) et qui va servir en quelque sorte de pont entre les deux étapes de ma recherche. C'est extrait d'un texte bien connu de Lucien Goldmann, recueilli dans *Structures mentales et création culturelle*:

> L'écrivain exprime *sous une forme rigoureusement cohérente* ce qui n'existe dans le groupe qu'à titre de tendance plus ou moins avancée, et il lui donne une forme imaginaire. Sans doute ne peut-il le faire que parce que cette activité créatrice a pour lui, en tant qu'individu, une *fonction significative*([4]).

La deuxième citation, en trois volets, est tirée de l'étude sur *Le roman*, placée par Maupassant en tête de *Pierre et Jean*:

> [L'écrivain] montrera [...] *comment on s'aime, comment on se hait*, comment on se combat dans tous les milieux sociaux, *comment luttent les intérêts bourgeois, les intérêts d'argent, les intérêts de famille, les intérêts politiques* ([5]).
>
> Le réaliste, s'il est un artiste, cherchera, non pas à nous montrer une photographie banale de la vie, mais à nous en donner *la vision plus complète, plus saisissante, plus probante que la réalité même* ([6]).
>
> Faire vrai consiste donc à donner l'illusion complète du vrai [...] J'en conclus que les Réalistes de talent devraient s'appeler plutôt des Illusionistes. [...] Chacun de nous se fait donc simplement *une illusion du monde* [...] Et l'écrivain n'a d'autre mission que de reproduire fidèlement cette illusion avec tous les procédés [de son art] ([7]).

Ma troisième citation sera une sentence prononcée par le financier Andermatt dans *Mont-Oriol*:

> La grande question moderne, messieurs, c'est la réclame [nous dirions aujourd'hui la publicité]; elle est *le dieu du commerce et de l'industrie contemporains. Hors la réclame, pas de salut* ([8]).
>
> (Les passages soulignés le sont par le rédacteur de cet article.)

Je puis, sur ces bases, définir ainsi la tâche que je m'étais fixée: interroger la représentation des rapports sociaux que Maupassant nous propose, afin de mettre en lumière ce en vertu de quoi elle donne une «vision plus probante que la réalité même»; en d'autres termes, ce qui confère à une telle image sa netteté -sa «forme rigoureusement cohérente»- opposée à la vision directe mais confuse qu'offre la société réelle; autrement dit encore, afin de dégager une structure significative, éclairant du même coup la «fonction significative» que son activité créatrice a pour l'écrivain, non seulement «en tant qu'individu», selon les termes de Goldmann, mais surtout en tant qu'*agent social* reçu comme tel par les lecteurs. (Il nous faudra évidemment éluder ici le problème du degré de clarté qu'atteint la conscience de cette fonction, tant chez le public que chez l'écrivain lui-même.)

La première réponse à l'interrogation «*Quelle structure?*», appliquée à l'image sociale fournie par les contes et nouvelles réalistes, peut se résumer en deux mots: *le marché*, qui concerne 80 unités textuelles, et *la compensation*, qui en concerne 120, sur un corpus global de 300. C'est sur la première de ces deux structures que je vous invite maintenant à porter notre attention. Mais je dois préalablement bien souligner ceci: toute l'œuvre de Maupassant — à commencer par les romans — reflète la vénalité, le mercantilisme, la quantification des qualités humaines, qui règnent dans la société réelle; par contre, le marché dont je veux parler n'est pas un contenu-reflet, il structure véritablement la représentation de rapports humains naturels ou électifs, qui, dans la réalité, relèvent normalement du sentiment et non d'un calcul. En bref, si le *thème* mercantile *reflète* un comportement univoque et manifeste, la *structure* mercantile *transpose et révèle* une mentalité problématique.

Ainsi, chez l'écrivain génial qu'est Maupassant, ce qu'il appelle son «illusion du monde», rend compte — dans le thème comme dans la structure — de la vérité du monde. Vérité éminemment ambiguë, qui apparaît à la fois ou successivement nue et voilée. Nue, quand le héros de Mont-Oriol proclame la publicité «dieu du commerce et de l'industrie» — allusion transparente à la loi du marché, à la loi de l'argent qui régit toute la vie sociale. Chaque roman de Maupassant est d'ailleurs l'illustration, voire la défense de cette vérité-là. Mais, bien entendu, c'est au niveau de la structure, dangereusement occultée par le thème — ironie! — que réside la vérité voilée, celle qui est la plus riche de signification([8]). Il en va de même dans l'univers des contes et des nouvelles, avec la différence que la concurrence dialectique entre thème et structure s'y trouve adoucie, et que, de ce fait, le voile qui éclipse la vérité structurale en est d'autant moins opaque.

Venons-en donc à notre étude du marché en tant que structure des récits ayant pour thème «comment on s'aime», puis «comment luttent les intérêts de famille». J'ai choisi, dans l'un et l'autre groupe, les exemples qui m'ont paru les plus suggestifs.

Le marché d'amour

C'est le thème d'une trentaine de récits où Maupassant étale la prostitution dans ses multiples variantes: minable ou fastueuse, professionnelle ou amateur, féminine ou masculine, il n'en a voulu ignorer aucun aspect. Mais à travers toute cette variété, on doit relever une constante: jamais la putain n'est méprisable; sinon respectueuse, elle est souvent digne de respect, de bienveillance, ou du moins de pitié; elle joue même parfois un rôle de véritable héroïne, à la fois victime et triomphante. Deux exemples archiconnus: Boule de suif ne cède au chantage du Prussien qu'après avoir, seule parmi ses honorables compagnons, tenu farouchement tête([9]); Rachel — dans *Mademoiselle Fifi* — tue l'officier ennemi qui insultait l'armée française([10]). Un exemple moins célèbre: dans *Le lit 29*, Irma accomplit son devoir patriotique en transmettant la vérole à des centaines de militaires allemands([11]).

Or, la complaisance «naturaliste» de notre auteur à représenter le plus vieux métier du monde semble aller tellement de soi chez ce boulimique sexuel, que pour peu on oublierait de prendre en compte un des principes fondamentaux de toute analyse structurale génétique: l'image *excessive* est toujours l'indice d'une vérité déguisée. Pour essayer de la mettre en lumière, j'ai procédé à un double rapprochement. Tout d'abord entre la surreprésentation de la catégorie «marché d'amour» (30 unités sur 300) avec la sous-représentation de la catégorie «marché du travail» (3 unités — où d'ailleurs, l'ouvrier, à la limite, est plutôt un artisan). Compte tenu du fait que toutes les autres catégories sociales ont une part numérique équitable dans l'ensemble de l'univers fictionnel de Maupassant, j'ose esquisser l'hypothèse que sa fameuse illusion du monde mimétise le prolétaire sous les oripeaux de la prostituée, l'un comme l'autre astreints à vendre son sexe ou sa force de travail devenus marchandises, réifiés([12]).

Le second rapprochement s'établit entre le privilège quantitatif et qualitatif que détient le marché d'amour dans le cadre global des contes et nouvelles, et le rôle tenu par la putain au sein de ce véritable microcosme que représente la nouvelle *Boule de suif*([9]) où ne manque aucune catégorie à l'échantillon social urbain, sauf l'ouvrier, justement, dont l'absence passe inaperçue, en total respect de la vraisemblance. En revanche, une place de choix — et même d'honneur — est réservée à la fille publique en la personne d'Élisabeth Rousset, dite Boule de suif, précisément. Sans entrer dans les détails d'un parallelélisme à tous égards étonnant, relevons que, dans cette société miniaturisée imaginaire, c'est la putain, tout comme l'ouvrier dans la grande société réelle, qui assure la survie et la prospérité générales, n'obtenant en échange qu'humiliation et injustice. C'est elle aussi, fantassin issu du peuple, qui engage avec l'envahisseur le corps-à-corps décisif. Ainsi pourrait-on percer le secret de l'image excessive par laquelle putanat métaphorise prolétariat. L'excès n'est-il pas, en définitive, le propre de toute métaphore?

Le marché familial et conjugal

Alors que le marché d'amour se donne tout crûment comme tel, il n'en va pas de même pour le marché familial et conjugal. En effet, l'image qu'une cinquantaine de contes et nouvelles nous donnent des relations enfants/parents, frères/sœurs, etc. ainsi que des relations mari/femme, cette image, dis-je, est étrangement distordue, puisque ces relations fonctionnent — à l'encontre de ce qui se passe dans l'immense majorité des cas réels — uniquement selon le mode «acheter/vendre» typique de la structure mercantile. Cependant, cette distorsion est flagrante et se maintient au niveau de la vérité *exposée* dans l'optique de l'illusion du monde particulière à Maupassant — même si la structure prend parfois des formes moins explicites qu'il n'est pas utile de détailler ici.

En revanche, il faut préciser maintenant les corrélations fonctionnelles diverses, qui s'instaurent entre le rapport «humain» et le rapport mercantile au sein de la famille et du couple.

A. *Les deux rapports s'associent.*

1 exemple: *Aux champs*([13])

— Des paysans pauvres cèdent leur fils à des bourgeois fortunés mais stériles. Résultat: prospérité et bonheur pour tous.

— Leurs voisins qui avaient refusé le marché, sombreront dans le désespoir.

Relevons déjà là un constraste significatif sur lequel nous re-viendrons.

B. *Le rapport mercantile se substitue au rapport humain*

3 exemples:

1) *La mère aux monstres*([14])

— Une jeune paysanne produit en série une dizaine de rejetons systématiquement estropiés au moyen d'un corset, puis vendus à des forains contre une rente annuelle de 5-6000 francs.

2) *Une vente*([15])

— Un mari vend sa femme à un ami, au prix de 1500 francs le mètre cube.

3) *Au bord du lit*([16])

— Une femme délaissée par son mari, ne consent à renouer avec lui qu'au tarif de 5000 francs par mois.

La réduction de personnes humaines au rang de marchandises, ne s'accomplit pas toujours de manière aussi patente et cynique. Elle n'en est pas moins effective dans chaque occurrence des deux séries.

C. *Le rapport mercantile révèle le rapport humain.*

2 exemples:

1) *Le port*([17])

— Un marin et une prostituée, après avoir couché ensemble, se découvrent frère et sœur. La joie des retrouvailles leur fait oublier leur honte.

2) *Un parricide*([18])

— Un couple vient, incognito, commander des meubles chez un jeune menuisier qui est leur fils illégitime abandonné. Celui-ci devine leur identité et leur propose, sous le sceau du secret, de jouer franc jeu. Père et mère refusent et il les tue.

La reconnaissance ne s'accomplit donc que grâce à l'échange mercantile, qui joue ainsi le rôle primordial.

D. *Le rapport mercantile crée le rapport humain.*

1 exemple:

L'héritage([19])

— Un couple se met à désirer frénétiquement un rejeton pour pouvoir hériter un million qui lui échapperait s'il ne procréait dans les trois ans. L'enfant naîtra, non sans le secours d'un inséminateur.

Ainsi, c'est le marché successoral qui — littéralement — engendre le rapport affectif naturel entre parents et progéniture.

Au terme de cette rapide revue, on doit bien constater que toute cette structuration mercantile, même si elle ne saute pas aux yeux dans chacun des cas, se livre sans trop de réticence à l'analyse, et risque, par là-même, d'occulter une de ses propres composantes significatives, une vérité plus profonde.

Pendant longtemps, je suis, en effet, passé à côté d'une observation toute simple, mais non moins troublante: *chaque* marché mené à bon terme — fût-il une escroquerie ou un chantage — aboutit à une fin heureuse; *chaque* marché non tenu ou refusé — fût-ce pour des motifs honorables — aboutit à un désastre. Je ne puis, ici, citer que quatre cas exemplaires.

Parmi les occurrences du marché d'amour, j'ai choisi *Yvette*([21]). — Fille d'une courtisane, l'héroïne refuse d'abord de suivre la carrière maternelle, incompatible avec son besoin de pureté. Elle en viendra au désespoir et au suicide. Sauvée, et convertie enfin à la galanterie mercenaire, elle accède d'un seul coup au comble du bonheur.

Passons au marché familial, dont nous traiterons 3 exemples.

1) *Aux champs*([13]). Ce récit — j'y ai déjà fait allusion — se distingue par le jumelage contrastif du marché tenu et du marché refusé.

— D'un côté, les pauvres paysans qui ont vendu leur fils aux riches citadins, encourant la réprobation générale, seront comblés de bienfaits: à l'aisance matérielle s'ajoute, en effet, un redoublement de gratitude et d'affection filiales.

— De l'autre côté, les pauvres paysans qui avaient refusé ce même marché, recueillant la louange publique, subiront une véritable malédiction: à la misère la plus noire s'ajoutera la haine de leur fils qui, fou de rage pour l'aubaine manquée, abandonnera père et mère et disparaîtra à tout jamais.

2) *La mère aux monstres*([14]) 3) *L'orphelin*([20])

L'opposition de ces deux contes est éminemment suggestive.

— D'une part — nous l'avons vu — il y a une mère criminelle qui «fabrique» (textuellement) d'horribles avortons en «maniant le corset» — les pères demeurant clandestins — et qui jouit imperturbablement des rentes que lui versent ses clients, montreurs de phénomènes. Comme par enchantement, elle triomphe de l'exécration unanime — on l'appelle «la Diable» — des anathèmes de l'Église et des enquêtes de la Justice.

— D'autre part, une demoiselle d'une laideur repoussante conclut un marché familial en adoptant un orphelin dont elle espère être aimée en retour. Le garçon lui prodigue, en effet, affection et cajoleries, aveugle à sa laideur. Un jour, le jugeant trop dépensier, elle veut le discipliner et lui refuse de l'argent, rompant ainsi le marché tacite qui les liait. Aussitôt, le jeune homme cesse toute marque de tendresse et fixe intolérablement le hideux visage. La vieille fille vivra, dès lors, dans la terreur, et finira assassinée. Son héritier sera acquitté faute de preuves, puis aura raison de la méfiance générale et sera élu maire.

Ce ne sont là que quelques cas parmi les plus frappants. Mais la récurrence implacable de la corrélation «*marché/triomphe vs non-marché/catastrophe*» à travers les quelque quatre-vingts récits de ce corpus, sans exception, désigne sournoisement celle-ci comme structure significative, que je qualifierai du *second degré*.

La structure du *premier degré*, c'était l'opiniâtre interférence du rapport marchand dans les rapports familial, conjugal et amoureux. C'était, en termes de fiction, la transposition outrancière de l'envahissement de la sphère intime de la vie individuelle par les contraintes omniprésentes de l'économie. Transposition qui s'effectuait au niveau du *montrer* et non à celui du *juger*, c'est-à-dire au niveau éthique, niveau auquel, précisément, fonctionne la structure du second degré.

Non seulement le marché s'oppose, en tant que structure amorale, aux relations humaines traditionnellement structurées selon des valeurs morales; non seulement il les court-circuite. Bien plus, le marché accède au statut de loi morale absolue, rejetant toutes les autres au dépotoir des non-valeurs. Le marché devient une opération magique infaillible; la pratique du rituel marchand garantit l'immunité contre tout déboire irréparable, alors que le respect des valeurs morales traditionnelles ne met nullement à l'abri du malheur; s'y expose, au contraire, sans rémission, quiconque se soustrait à la sauvegarde du bon génie mercantile.

Paraphrasant la formule sacramentale que je citais au début, voici le crédo fétichiste qu'enseigne l'évangile... selon Saint Guy: «*Hors le marché, pas de salut*». La fonction sociale de son programme narratif pourrait bien être, dès lors — à l'instar d'un illustre ministère de la Curie romaine — celle d'Institution pour la propagande du Marché.

Au sortir de l'«illusion du monde» que Maupassant nous offre tout à travers cette lignée de récits-fables, une moralité s'impose, qui résume la morale régissant la conscience réifiée des hommes modernes: «La raison du marché est toujours la meilleure.»

NOTES

(1) Charles Castella, *Structures romanesques et vision sociale chez Maupassant*, Lausanne, L'Âge d'Homme, 1973.

(2) Charles Castella, *Une divination sociologique: les Contes fantastiques de Maupassant*, in *L'avant-siècle 2*, Paris, Minard, collection «Lettres Modernes», 1976.

(3) Charles Castella, *Les contes et nouvelles «réalistes» de Maupassant: esquisse d'une analyse socio-génétique sur l'échantillon du contexte familial/conjugal*, in *Revue de l'Institut de Sociologie*, n° 3-4, Bruxelles, 1980.

(4) Lucien Goldmann, *Structures mentales et création culturelle*, Paris, Anthropos, 1970, p.13.

(5) Guy de Maupassant, *Romans*, Paris, Gallimard, «Pléiade», 1987, p. 707.

(6) *Ibid.*, p. 708.

(7) *Ibid.*, p. 709.

(8) *Ibid.*, p. 584.

(9) Guy de Maupassant, *Contes et Nouvelles*, I, 83, Paris, Gallimard, «Pléiade», 1979.

(10) *Ibid.*, I, 385.

(11) *Ibid.*, II, 174.

(12) Cf. Lucien Goldmann, *La réification*, in *Recherches dialectiques*, p. 64, Paris, Gallimard, «Bibliothèque des Idées», 1959.

(13) *Op. cit.*, I, 607.

(14) *Ibid.*, I, 842.

(15) *Ibid.*, I, 1207.

(16) *Ibid.*, I, 1040.

(17) *Ibid.*, II, 1125.

(18) *Ibid.*, I, 553.

(19) *Ibid.*, II, 3.

(20) *Ibid.*, I, 848.

De la sociologie de la littérature à la sociologie de l'écriture ou le projet sociocritique

Régine Robin
Université du Québec à Montréal

La sociologie de la littérature a souvent été, même venant des théoriciens littéraires, une branche de la sociologie ayant ses références, ses traditions, ses types de questionnement, ses objets et ses méthodes. De G. Lukàcs à L. Goldmann dans un horizon marxisant; de J.-P. Sartre à R. Barthes, elle a cherché à mettre en valeur les rapports de causalité et d'effet de retour entre la société, les structures économiques du marché, la dynamique sociale et l'œuvre, le produit, le texte.

Analysant les idéologies, les représentations, elle a cherché à mettre en rapport l'ensemble des transformations esthétiques et des pratiques artistiques avec les contextes sociaux, les formes symboliques avec les formes sociales. De grandes percées ont été faites à propos de tout ce qui concerne *l'entour du texte*: étude des publics, sociologie de la réception, du livre, du lecteur, sociologie de la lecture comme activité autonome socialisée; étude de la littérature comme institution, comme champ, espace dans lequel les créateurs cherchent à se trouver une position, un créneau en vertu de leur capital symbolique et de l'horizon d'attente du public qu'ils se découpent dans le cercle restreint (l'avant-garde) ou dans le cercle large (le grand public); champ où les instances de légitimation distribuent les hiérarchies symboliques et les légitimités en renforçant en général les valeurs dominantes de l'ensemble de la société([1]).

Autre domaine où la sociologie de la littérature s'est récemment illustrée avec succès: les déplacements de carrière, les prosopographies d'écrivains, les déplacements de genres pour se trouver un créneau plus adéquat. De R. Ponton à A.-M. Thiesse, tout un courant de la sociologie de la littérature montre ainsi les déterminations lourdes ou subtiles qui sont à l'origine du texte littéraire([2]).

Si les entours du texte sont particulièrement bien étudiés, les choses se gâtent parfois lorsqu'il s'agit, pour le sociologue comme pour l'historien, de saisir à la fois le texte comme objet social ou la socialité dans le texte, de saisir le texte comme singularité, comme remise en question des questionnements dominants, comme problématisation des disciplines. Dans un récent ouvrage, deux sociologues s'interrogent:

> ... l'un des suicides littéraires les plus célèbres est celui d'Émma Bovary; c'est aussi l'un des plus improbables. Femme, jeune, mariée, mère d'un enfant, rurale et catholique, elle cumulait les traits dont Durkheim a montré qu'ils constituaient les facteurs les plus efficaces de la préservation du suicide. Et pourtant elle se tue, dans le roman comme dans la vie: Flaubert n'a rien inventé, il s'est inspiré jusque dans le moindre détail d'un fait divers réel [...]. D'après Durkheim, Émma Bovary avait moins de 74 chances sur 100 000 de se suicider, alors que Rodolphe en avait lui plus de 985. Flaubert s'étend sur le premier et ne souffle mot du second, ô combien plus commun. Or, l'ambition sociologique du romancier ne fait aucun doute: l'attestent clairement le sous-titre choisi par Flaubert (Mœurs de Province)([3]).

Avouons qu'on n'a pas beaucoup avancé depuis les homologies de L. Goldmann et qu'une certaine sociologie de la littérature ne sait manifestement pas interroger le texte littéraire, ne cherchant en lui que du typique, du représentatif, du référent qui serait bien ou mal «rentré» dans le texte. Même soupçon à l'égard de la littérature chez P. Guiral.

> Qui ne sait en outre que le romancier commet des erreurs, volontaires ou non, par négligence ou dessein de brouiller les pistes, ou passe à côté des réalités essentielles? Dans une analyse très percutante, M. Beaumont rappelle que Julien Sorel, le héros du roman *Le Rouge et le Noir*, est exécuté onze mois après la chute de Charles X. Or, Stendhal fait état des manœuvres du clan de la Mole et de la congrégation, alors qu'ils se seraient vraisemblablement fait oublier à cette heure. Quant à Julien Sorel, en ce moment où le libéralisme paraît pour peu de temps triompher, alors que l'agitation antireligieuse se marque partout, il aurait dû, en ce printemps 1831, gravir les degrés de la réussite plutôt que ceux de l'échafaud. Flaubert qui écrit moins vite que Stendhal, ne commet pas d'erreurs de cette sorte, mais il prouve que le romancier le plus attentif, le plus scrupuleux peut passer à côté du fait capital. On a dit et redit combien l'*Éducation sentimentale* s'appuie sur une documentation de qualité, qu'il s'agisse de l'atmosphère des courses commençantes ou des examens de la Faculté de droit. Avec quel soin Flaubert a retenu les griefs que répétaient les républicains contre la monarchie de Juillet [...]. Mais tous ces mérites reconnus, Flaubert passe à côté de la crise économique qui affecte la France en 1846-1847; il néglige à peu près la plus grande dépression du XIXe siècle qui, dans une large mesure, explique et appelle la révolution de février 1848 qu'il décrit si bien ([4]).

Comme si Stendhal n'avait pas su que la révolution de 1830 était survenue, comme si ses erreurs n'étaient que des erreurs. La façon dont la fiction traite la chronologie a pourtant des significations fondamentales à la fois sur le plan esthétique et idéologique. Il est totalement impossible à Stendhal de faire rentrer la révolution de 1830 dans son roman. Il faut que Julien Sorel soit défait et qu'il meure victime de la Restauration, «étrangement continée» en octobre 1830 dans le roman. Bien entendu, il y a un sens à ces «erreurs», au fait que Mathilde va supplier Charles X alors qu'il a déjà traversé la Manche. Prémonition angoissée de ce que l'après-révolution sera au plan provincial des tribunaux une prolongation de l'avant, que les classes dirigeantes ne sauraient tolérer (et pas plus la bourgeoisie que l'aristocratie) la montée impertinente de ces jeunes gens qui prennent modèle sur Bonaparte pour se hisser sans vergogne au sommet de la société? Et si l'essentiel résidait précisément au-delà de l'«erreur» dans cette sursignification pour parler comme P. Barberis?

Comme si par ailleurs, pour Flaubert, la crise économique importait plus que le piétinement, la répétition ironique et vide de l'histoire, comme si le débat idéologique, l'angoisse des «réactionnaires» en face des doctrinaires n'était pas ce qui, au plan idéologique, structurait le roman. Là encore «l'erreur» ou «l'oubli» de tel élément de la réalité extérieure de la part du romancier tient au traitement qu'il fait non pas de l'extra-texte qui ne s'inscrit jamais en tant que tel dans le roman, mais des référents textuels, des signes culturels, des images qui flottent dans l'air, des indices idéologiques, saturation de signes, mémoire culturelle avec laquelle le romancier se bat et en face de laquelle il tente de se situer. Comme si ce qui était en cause, c'était la vérification des bonnes dates, des bons processus, des bonnes déterminations. La littérature ne dit pas l'histoire ou le social dans une transparence illusoire des signes, elle interroge, jauge, inscrit son cortège d'interrogations angoissées à l'encontre d'un discours plein, explicatif qui ne laisse rien au hasard et vectorise l'avenir. L'indirect libre chez Flaubert, cette manière d'être à la fois dans ses personnages et en surplomb, les italiques qui pointent le langage bourgeois par dérision, le désir d'une «écriture du rien» comme pour mimer le rien du devenir historique bloqué, tout cela est certainement plus important que le gommage de la crise économique de 1847-1848.

> Et la modernité, c'est ici la politique de la littérature, la politique vaguement balisée, vaguement délimitée par la littérature, la direction indiquée. Le soir du 2 décembre, sur les boulevards, Frédéric Moreau posera la bonne question: «Est-ce qu'on ne va pas se battre?», ce qui peut se lire comme un écho ironique et railleur à Hugo («que font donc les vieux faubourgs?») mais qui peut aussi se lire, au moment

> où s'effrondre la phrase quarante-huitarde, comme le véritable «Que faire?» [...] d'une époque. Et la réponse me paraît évidente: «Que faire? mais, un jour, et cela va singulièrement plus loin que la République qui va tenter de sauver les meubles, écrire *L'Éducation sentimentale.*» Est-ce cela toujours rien? ([5]).

Et les platanes bleus de Stendhal qui s'opposent à «l'utile noyer»du maire de Verrières, et l'espace de liberté ouvert par le langage, les images et les mots, contre les mots figés, usuels, convenus. La littérature, selon l'heureuse expression de P. Barberis, lit l'histoire et le social en dehors des discours de l'histoire et de la sociologie. Elle dit les apories, les impasses, montre les déblocages possibles entre le passé-piège, le mirage archaïque et mortifière du retour à un âge d'or, et un avenir plein de trous, précaire, non garanti. Elle s'installe dans cette béance, dans cet écart entre le rêve utopique, le passé démembré et l'indétermination de l'avenir, le tremblement du présent; elle dit que la République était belle sous l'Empire, mais qu'on ne peut revenir à l'Empire, et que la République n'est pas exactement ce qu'on attendait. Elle s'installe contrainte et forcée dans l'ambivalence, mais elle tire sa grandeur et sa force de cette ambivalence même, de son infinie possibilité d'interroger les pouvoirs en place, les processus déclenchés par le devenir historique et l'éternelle désillusion de ce qu'il apporte. La littérature dit simplement le désir d'une autre histoire possible, mais sans «lieu» déterritorialisée. Que de ce tiers-lieu, la littérature soit souvent en avance sur le questionnement des historiens et des sociologues (malgré ou à cause des bévues de Stendhal et des erreurs et des oublis de Flaubert), rien de plus naturel! ([6])

Histoire déterritorialisée encore chez Flaubert, ou histoire autre. Lorsque Bouvard et Pécuchet abandonnent leur projet d'écrire une histoire de la Révolution française en ressassant tous les stéréotypes du discours social, soudain, quelque chose d'autre fait son apparition dans le texte, qui vient se mettre en travers de tous les effets d'ironisation.

> C'était pendant l'été 1845, dans le jardin, sous la tonnelle, Pécuchet, un petit banc sous les pieds, lisait tout haut de sa voix caverneuse, sans fatigue, ne s'arrêtant que pour plonger les doigts dans sa tabatière. Bouvard l'écoutait la pipe à la bouche, les jambes ouvertes, le haut du pantalon déboutonné. Des vieillards leur avaient parlé de 93, et des souvenirs presque personnels animaient les plates descriptions de l'auteur. Dans ce temps là, les grandes routes étaient couvertes de soldats qui chantaient la Marseillaise. Sur le seuil des portes, des femmes assises cousaient de la toile pour en faire des tentes. Quelquefois arrivaient le flot d'hommes en bonnet rouge, inclinant au bout d'une pique une tête décolorée, dont les cheveux pendaient. La haute tribune de la Convention dominait un nuage de poussière, où des visages furieux hurlaient des cris de mort. Quand on passait au milieu du jour, près du bassin des Tuileries, on entendait le heurt de la guillotine, pareil à des coups de moutons. Et la brise remuait les pampres de la tonnelle, les orges mûrs se balançaient par intervalles, un merle sifflait. En portant des regards autour d'eux, ils savouraient cette tranquilité... ([7])

Plus heuristiques, les approches qui ne contournent pas le texte, n'y cherchent pas un référent non textuel transparent, qui ne confondent pas l'ordre du réel et l'ordre du langage. Elles cernent des médiations multiples entre les déterminations sociales et l'écriture. Pourtant, elles ne tiennent pas compte à leur façon de la spécificité du texte littéraire, gommant sa singularité.

Après les entours du texte, après les en-deça et les au-delà du texte, le texte sans texte, si l'on préfère.

Toutes les études qui ont été menées sur les champs littéraires avec la conceptualisation de P. Bourdieu ont tenté de toucher aux tentatives de déplacement des genres, des écritures, des esthétiques en mettant en relation la marginalisation des producteurs nouvellements arrivés sur le marché des biens symboliques avec la véhémence de leurs programmes esthétiques ou avec leur volonté de se distinguer des normes dominantes. Constatant les transformations de l'écriture du cercle restreint à la fin du XIXe siècle, M. Angenot la met en rapport avec l'expansion du journalisme, dans une logique de distinction:

> L'esthétique symboliste, le décadentisme, celle des romanciers «psychologues», mais aussi, d'autre façon, celle du naturalisme et de ses avatars fin-de-siècle sont à percevoir comme des anti-journalismes [...]; elles se génèrent en tous cas comme diverses formes de dénégation ayant à compter avec le phénomène-journal [...]. Désormais, la littérature va se définir *contre* une forme omniprésente de langage public. [...] Le littérateur, non sans un certain affolement, va chercher à se «distinguer», à conquérir la position hautaine et sublime à laquelle il croit que l'art lui donne droit, à se trouver des alibis et des mandats qui le rendent inaccessible à l'enlisement journalistique, à cloisonner son écriture en une «tour d'ivoire» ([8]).

E. Nadler ([9]), étudiant le roman symboliste dans une perspective sociologique, se propose de prendre en considération l'ensemble des formes romanesques légitimes qui balisent l'horizon de référence des romanciers du cercle restreint, afin de pouvoir déterminer si on peut vraiment parler d'une spécificité de l'écriture symboliste. Son interrogation poursuit deux lignes directrices. En premier lieu, elle cherche à mettre en évidence les modèles textuels contre lesquels les prosateurs symbolistes avaient à réagir s'ils voulaient se tailler une place de choix dans le cercle restreint. Ils avaient à reprendre en le modifiant, le contestant, le déplaçant, le modèle zolien, la fiction réaliste naturaliste, et ils avaient en outre à réagir contre le psychologisme à la P. Bourget. En second lieu, elle s'interroge sur la situation du genre romanesque dans la hiérarchie des productions esthétiques légitimes. Les artistes symbolistes privilégient la poésie alors que les tenants du psychologisme mettent en avant l'écriture romanesque en cédant aux habitudes de lecture des consommateurs. J. Dubois a bien montré les effets sur l'écriture, sur le genre de tels choix institutionnels et esthétiques:

> Pour le symbolisme et son allié le wagnérisme, les genres élus ou légitimés sont la poésie et secondairement le théâtre ou le conte. Le roman n'est abordé que comme forme intérieure qu'il s'agit de sortir de son infériorité en la transformant, de préférence grâce à la forme poétique. Traité par les

symbolistes ou ceux qui en sont proches, il tend à perdre sa cohérence générique et à devenir quelque chose de mal défini, par exemple une série de petits récits ordonnés autour d'un personnage comme le *Poil de Carotte* de J. Renard. Le roman symboliste, dans sa diversité même, conteste la forme qu'il pratique; en dénonce le principe([10]).

Fondées sur la légitimité et la distinction, ces méthodes ne tiennent pas compte d'un certain nombre de glissements, d'empreints entre la culture populaire et la culture savante, non seulement des réemplois ironiques et parodiques, mais du transverse qui vient quelque peu bousculer le bel ordonnancement du légitime. Toutes ces recherches voient les transformations de genre, les modifications stylistiques et esthétiques comme des effets institutionnels et ne se posent pas le problème de la façon dont les processus de textualisation s'opèrent, comment se constituent des effets du texte spécifiques et quels sont les effets à la fois esthétiques et idéologiques des processus de mise en texte. En outre, ces démarches ne distinguent pas le projet idéologique et esthétique conscient du créateur, et ce qu'il produit effectivement. Si importantes qu'elles soient à l'heure actuelle, ces recherches de sociologie de la littérature ne regardent le texte littéraire que pour ce qu'il n'est pas; ou ce qui n'est pas le texte dans le texte.

Même problème en ce qui concerne les approches fondées sur la notion de «*discours social*»([11]). Il s'agit de prendre en compte la totalité de ce qui s'écrit ou s'imprime dans une société donnée à un moment donné, comme M. Angenot l'a fait pour la chose imprimée en France en 1889. Il s'agit de regarder les idéologèmes récurrents qui traversent toutes les zones du discours social: le discours médical, le discours juridique, le discours de la scène politique parlementaire, le discours journalistique, le discours de la critique littéraire et la production littéraire, etc. On voit alors se dessiner de grandes constellations d'images, des syntagmes qui s'imposent partout, des locutions, des ensembles qui traversent absolument toutes les institutions et tous les genres. Ces idéologèmes de base, on va les retrouver dans la fiction, dans la production romanesque, mais thématisés, pris dans un récit, dans un système de personnages, dans des mises en intrigue. Ce qui est intéressant cependant, dans le cadre d'une telle problématique, ce n'est pas la façon spécifique dont la thématisation se produit, mais le fait de retrouver dans le texte littéraire l'inscription du discours social. Les processus de textualisation ne sont vus qu'en fonction des stéréotypes circulant dans l'ensemble du discours social sans que le texte n'ait la possibilité de les transformer, de les déplacer ou de les ironiser. C'est ainsi que dans son dernier ouvrage([12]), M. Angenot voue aux gémonies *La Bête humaine* de Zola.

> Zola ne sort à aucun moment du réseau des représentations et des idéologies dominantes, tunique de Nessus de tous les romanciers de son temps([13]).

H. Mitterand, pourtant, nous a habitués à voir dans l'œuvre de Zola une tension entre des savoirs et des tendances à l'allégorisation. À propos de *Germinal*, mais sans doute pourrait-on généraliser le propos, il parle de la présence d'archétypes symboliques, de tout un réseau de correspondances connotées, d'un code analogique. La mine renvoie ainsi à l'enfer, à l'enfermement, à la malédiction naturelle, à l'enfouissement, aux instincts. Il y a bien inscription du discours social (et dans le cas de *La bête humaine*, nous savons quel rôle y jouent les discours divers et pseudo-scientifiques sur l'héridité), mais dans des processus de textualisation qui transcendent la trivialité du discours social, une échappée fantasmatique que les sociologies de la littérature ne prennent pas en compte. S'il y a échappée mythique, c'est par ce que C. Duchet appelle «le niveau valeur»([14]), ce que E. Köhler nomme «les références de troisième degré», et que R. Barthes appelle quant à lui «le troisième sens obtus». Le sens obtus désigne un excès, un débordement, ce qui échappe à la description la plus formalisée, et aux conceptualisations fortes, ce qui se met en travers des sens réalisés, du métalangage. Le sens obtus serait de l'ordre de la «langue» de J. Lacan, un impossible à représenter. Dans la problématique du discours social, le texte littéraire est bien présent mais dénué de toute littérarité, mis à plat, simple discours parmi les autres discours.

Au delà de la tradition de G. Lukàcs et de celle de M. Bakhtine([15]), c'est dans les démarches de la sociocritique que nous croyons pouvoir trouver les instruments intellectuels nous permettant d'élaborer une sociologie de la littérature qui tienne compte de l'écriture, de l'ordre du langage et de la littérarité, qui tienne compte des processus de textualisation([16]).

Il existe à l'heure actuelle bien des façons de concevoir la sociocritique. De E. Cros([17]) à P. Zima([18]) en passant par les remarquables travaux de A. Gómez-Moriana([19]). C'est aux propositions de C. Duchet que nous ferons allusion ici, et à leur portée théorique fondamentale.

Sans entrer dans le détail, nous rapellerons la façon dont C. Duchet pense l'ensemble des images culturelles qui traversent la fiction d'une culture donnée. Mélange hétérogène et disparate d'images, d'emblêmes, de maximes doxiques, d'énoncés arrachés aux écrits du temps et perpétuellement répétés, réinscrits, ironisés ou simplement déplacés etc, etc. Nébuleuses discursives que C. Duchet appelle des *sociogrammes* et qu'il définit de la façon suivante:

> Ensemble flou, instable, conflictuel de représentations partielles, centrées autour d'un noyau, en interaction les unes avec les autres...»([20])

Telle qu'elle apparaît, la notion pourrait s'apparenter aux idéologèmes de la problématique du discours social, que la fiction viendrait simplement thématiser. La sociocritique met cependant l'accent sur les processus de textualisation, sur la mise en texte, sur l'effet de texte en ne faisant pas fi d'un demi-siècle de recherches narratologiques, formelles et sémiologiques([21]). Certes son regard n'est pas immanentiste, au contraire, mais en pénétrant à l'intérieur du texte, elle ne craint pas d'en démêler les procédés, pour employer un terme des Formalistes russes.

Trois notions balisent le passage du discursif au textuel: l'information, l'indice et la valeur. L'information renvoie dans un texte littéraire, et en particulier dans un texte réaliste du XIXe siècle, à tout ce qui a trait au référent extra-textuel, dates, noms de rues réelles, outillage technique, etc., etc.; l'indice renvoie à l'univers des discours, à du réel déjà sémiotisé, au domaine des idéologies et des complexes discursifs. L'indice implique une mémoire discursive, une mémoire collective culturelle. C'est très exactement ce registre que touche la problématique du discours social, le texte en tant que catalyseur des grands sociogrammes et des idéologèmes discursifs. Mais, seul le niveau «valeur» permet le passage du discursif au textuel. La valeur est à entendre ici au sens saussurien du terme, la place que tel élément narratif ou sémiotique ou stylistique occupe dans la fiction, et la différence spécifique qu'elle institue. C'est ce registre qui organise l'œuvre en tant qu'œuvre esthétique. Pour clarifier ce point, je prendrai un exemple dans le XIXe siècle russe ([22]).

Dobroliubov en 1859 fait sensation dans l'institution littéraire russe par un article consacré à «l'Homme inutile», alors le sociogramme majeur de toute la fiction russe. C'est lui qui trouve l'expression qui devait devenir célèbre pour désigner toute cette galerie de héros romantiques et fadasses, «l'oblomovshchina» d'après Oblomov, le personnage principal du roman de Goncharov.

Dobroliubov radiographie dans son article l'apathie de ces héros. Pour ce faire, il analyse le roman de Goncharov dans ce qu'il a de typique, dans sa valeur de diagnostic pour tout ce qui ne va pas dans la société russe. Qu'est-ce qui caractérise Oblomov en tant que type? Un ensemble de traits de caractère, d'attitudes, de circonstances et un même type de rapports avec soi-même et avec autrui, en particulier avec les femmes. Dobroliubov peint avec férocité le sommeil qui s'abat non seulement sur son héros mais sur l'ensemble de la Russie. Il met à jour tout ce qui dans le discours social de l'époque se retrouve dans la fiction en confortant les valeurs dominantes de farniente concernant l'âme russe. Mais ce qu'il ne voit pas (et à son époque qui le voyait?) c'est le registre «valeur» du roman; l'errance sur place du héros dans son lit, autour du lit, autour du vieux divan, les récurrences du sommeil, de la fatigue, l'image obsédante de la vieille robe de chambre qui devient un actant à elle seule.

Errance encore textualisée de façon spécifique chez Gogol'. Le héros des *Âmes mortes* comme on le sait, parcourt la steppe en troïka, en brichka, en tarantass, en droshki. C'est cette guimbarde qui relie les épisodes les uns aux autres. Dès le début du roman, il est question de calèches:

> La porte cochère d'une hôtellerie de chef-lieu livra passage à une assez jolie petite calèche à ressorts, une de ces brichka dont usent les célibataires, commandants et capitaines en retraite, propriétaires d'une centaine d'âmes, bref tous gens de la moyenne noblesse... ([23])

La calèche est ainsi insérée dans un réseau social, véritable héroïne à sa façon du roman. Le roman s'ouvre sur elle et se termine par elle. La brichka se métamorphose et deviant un oiseau-troïka, véritable mythe désignant la Russie toute entière qui court à l'aveuglette. La brichka, information sur un des moyens de transport les plus communs à l'époque, indice de la noblesse et de tout un milieu social, est devenu au niveau «valeur» un grand oiseau mythique après avoir parcouru un long chemin diégétique, idéologique et esthétique.

La sociocritique ne se réduit pas aux quelques notions que je viens de rappeler très sommairement. Sa conceptualisation est très riche, que ce soit à propos des problèmes du référent ou de la socialité du texte. Je ne voulais insister que sur le passage du discursif au textuel.

Pour nous le grand problème de la plupart des sociologies de la littérature est là: dans leur incapacité à prendre en compte les formes spécifiques de la textualisation qui sont la matière même de l'imaginaire social, de la mémoire culturelle et de l'amour fantasmatique de la langue. De quoi se souvient-on longtemps après avoir lu un roman? Non pas de savoir s'il était issu du cercle large ou du cercle restreint, non pas si ses modèles d'écriture reprenaient dans la trivialité les modèles légitimes ou s'ils les contestaient, non pas si ce roman inscrivait tel ou tel syntagme alors à la mode, ou telle argumentation du discours social. Tout cela est fort important, mais la sociologie qui s'intéresse aux formes symboliques devrait également être attentive à l'histoire de l'imaginaire social et à ce que j'ai appelé: «le roman mémoriel»([24]) par analogie avec «le roman familial» de Freud. Ce qui reste, c'est ce qui dans un groupe social donné, ou une classe d'âge, une génération, une culture donnée est mobilisable pour le fantasme, l'émotion et la sensibilité; tous éléments qui ont à voir avec la distribution de la légitimité et la logique de la distinction, mais qui transcendent les problématiques de la détermination sociale et du modèle communicationnel. Ce support des fantasmes individuels et collectifs, cette matière première mémorielle, c'est la textualisation dans son organisation formelle, c'est un certain traitement de la langue.

Lorsque les Formalistes russes avançaient que le langage poétique n'était pas à confondre avec le langage ordinaire; que les métaphores du langage poétique devaient défamiliariser le lecteur, lui enlever ses automatismes de perception et de compréhension, ils se cherchaient sans doute un créneau dans le cercle restreint des lettres et de la critique russe; un créneau de la modernité à la fois distinct de toutes les formes de décadentisme qui avaient sur-saturé le marché de la modernité russe avant la révolution, et distinct des diverses écoles sociologiques et des esthétiques réalistes qui reprenaient le dessus. Certes, tout cela est vrai et intéresse au premier chef la sociologie de la littérature. Mais ce faisant, les Formalistes énonçaient à mon sens autre chose. Une espèce «d'universel» de l'esthétique, de valeur d'usage des pratiques d'écriture et de mises en texte, au-delà de leur valeur d'échange. C'est poser encore une fois le fameux problème du charme éternel de la statue grecque qui fascinait Marx.

De la sociologie de la littérature à la sociologie de l'écriture, de l'interrogation sur la valeur d'échange des productions esthétiques, au questionnement sur leur valeur d'usage, de la recherche des positionnements d'écrivains dans le champ littéraire et de la modification des genres que cette quête entraîne, ou des multiples inscriptions du discours social dans la fiction, à l'analyse des processus de textualisation spécifiques et à l'étude de ces formes comme objet d'une histoire de l'imaginaire social; c'est tout le déplacement opéré par la sociocritique, toute son ambition.

NOTES

(1) Sur les publics et la nouvelle sociologie de la réception, on renverra à quelques titres:

- R. Escarpit, *Le Littéraire et le social*, Paris, 1970.
- W. Iser, *The Implied Reader*, Johns Hopkins University Press, 1974.
- W. Iser, *L'Acte de lecture: théorie de l'effet esthétique*, Bruxelles, 1985.
- H. R. Jauss, *Pour une esthétique de la réception*, Paris, 1978;
- J. Leenhardt, «Introduction à la sociologie de la lecture», in *Revue des sciences humaines*, XLIX, 177 (1980), pp. 39-55.
- J. Leenhardt et P. Dozsa, *Lire la lecture: essai de sociologie de la lecture*, Paris, 1982.
- G. Prince, «Introduction à l'étude du narrataire», in *Poétique*, 14 (1973), pp. 178-196.
- S. Suleiman et I. Crosman (éds.), *The Reader in the Text: Essays on Audience and Interpretation*, Princeton University Press, 1980.

(2) Voir:

- P. Bourdieu, «Le Marché des biens symboliques» in *L'Année sociologique*, 22 (1971), pp. 49-126;
- P. Bourdieu, «La Production de la croyance. Contribution à une économie des biens symboliques», in *Actes de la recherche en sciences sociales*, 13 (1977), pp. 4-43.
- P. Bourdieu, *La Distinction: critique sociale du jugement*, Paris, 1979.
- C. Charle, «Situation spatiale et position sociale. Essai de géographie sociale du champ littéraire à la fin du 19e siècle», in *Actes de la recherche en sciences sociales*, 13 (1977), pp. 45-59.
- C. Charle, *La Crise littéraire à l'époque du naturalisme: roman, théâtre et politique*, Paris, 1979.
- J. Dubois, *L'Institution de la littérature: introduction à une sociologie*, Bruxelles, 1983.
- R. Ponton, «Programme esthétique et accumulation de capital symbolique: l'exemple du Parnasse», in *Revue française de sociologie*, 14, 2 (1973), pp. 202-220.
- J. Dubois, «Naissance du roman psychologique. Capital culturel, capital social et stratégie littéraire à la fin du XIXe siècle», in *Actes de la recherche en sciences sociales*, 4 (1975), pp. 66-87.

Voir également, quoique relevant d'une autre problématique, Ch. Grivel, *La Production de l'intérêt romanesque*, La Haye, 1973.

(3) E. Balibar et R. Establet, *Durkheim et le suicide*, Paris, 1984, pp. 82-88.

(4) P. Guiral, *La Société française, 1815-1914, vue par les romanciers*, Paris, 1969, pp. 10-11.

(5) P. Barbéris, «Qu'est-ce que la modernité?», in *Elseneur*, publication du Centre de recherche sur la modernité, Université de Caen, 1 (1983), p. 29.

(6) On verra tout particulièrement l'ouvrage éclairant et provocateur de P. Barberis, *Le Prince et le Marchand*, Paris, 1980.

(7) Cité par C. Duchet, «Écriture et désécriture de l'Histoire dans *Bouvard et Pécuchet*», in *Flaubert à l'œuvre*, présentation de Raymonde Debray-Genette, Paris, 1980, p. 132.

(8) M. Angenot, «Ceci tuera cela, ou: la chose imprimée contre le livre», in *Romantisme*, 44, p. 85.

(9) E. Nadler, *Le Roman symboliste: une logique de la distinction*. Thèse de doctorat. Université Mc Gill, 1987.

(10) J. Dubois, «Le Roman symboliste», in *Manuel d'histoire littéraire de la France*, V (1848-1917), Paris, 1977, p. 452.

(11) J'emprunte ici de nombreux travaux inédits de Marc Angenot. Voir aussi Régine Robin et Marc Angenot, «L'Inscription du discours social dans le texte littéraire», in *Sociocriticism*, I, 1 (1985), pp. 53-82.

(12) M. Angenot, *Le Cru et le faisandé: sexe, discours social et littérature à la Belle Époque*, Bruxelles, 1986.

(13) *Ibid.*, p. 142.

(14) J'emprunte ici sa terminologie à Cl. Duchet, exposée en particulier lors d'un séminaire à l'UNAM de Mexico en octobre 1984.

(15) Voir en particulier M. Bakhtine, *Esthétique et théorie du roman*, traduction française, Paris, 1978.

(16) Dans le numéro de la *Revue française de sociologie* consacré à la «Sociologie de l'art et de la littérature», XXVII, 3 (1986), malgré des articles fort intéressants et la synthèse de J.-C. Chamboredon, «Production symbolique et formes sociales: de la sociologie de l'art et de la littérature à la sociologie de la culture» (pp. 505-528), on est encore très loin de se poser ce genre de questions.

(17) Voir E. Cros, *Théorie et pratiques sociocritiques*, Paris, 1983.

(18) Voir P. Zima, *L'Ambivalence romanesque: Proust, Kafka, Musil*, Paris, 1980, et P. Zima, *Manuel de sociocritique*, Paris, 1985.

(19) Antonio Gómez-Moriana, *La Subversion du discours rituel*, Longueuil, 1985.

(20) Cl. Duchet, *La Socialité du roman*, à paraître.

(21) Voir en particulier Ph. Hamon, *Texte et idéologie*, Paris, 1984.

(22) Voir R. Robin, *Le Réalisme socialiste: une esthétique impossible*, Paris, 1986.

(23) N. Gogol, *Les Âmes mortes*, l'*incipit* du roman.

(24) R. Robin, «Mémoire collective et roman familial: le roman mémoriel», communication au VIe Congrès d'histoire orale, Oxford (GB), septembre 1987.

Victor Hugo, le génie-prophète: sens et fonction conjoncturels de la promotion de l'écrivain vers 1820.

Nicolas Bonhôte
Université de Neuchâtel

Dans ma précédente communication, au colloque de Neuchâtel([1]), j'ai essayé de montrer le rôle que jouent l'ambition de la gloire et surtout une image nouvelle de l'écrivain, celle du *prophète*, dans l'œuvre de Gérard de Nerval. J'ai voulu prolonger mon enquête du côté du jeune Victor Hugo pour déterminer quelles sont les figures qui qualifient le statut et la fonction de l'écrivain et de la littérature et qui mobilisent et orientent l'activité d'un auteur.

Ce qui m'importe, c'est l'extraordinaire promotion et dignification de l'écrivain à laquelle on assiste sous la Restauration, parce qu'il me semble qu'il s'agit d'un phénomène majeur dans l'histoire de la culture, d'un phénomène qui n'a cessé depuis lors d'inspirer la pratique littéraire et ses représentations.

J'ai voulu reconstituer le complexe d'idées sur l'écrivain que se fait le jeune prodige des lettres qu'est Victor Hugo, le situer dans les circonstances de la Restauration et proposer quelques interprétations.

Dans les textes de jeunesse de Victor Hugo (je me suis limité à ce qui précède 1825), la définition du statut et de la fonction de l'écrivain tient une place considérable. Elle constitue un des principaux sujets de l'œuvre, non seulement dans de nombreux articles de critique mais aussi dans la poésie. Cela seul est un fait nouveau caractéristique de la constitution distincte d'un objet nouveau, la littérature ou les lettres, comme un champ autonome.

On trouve chez Victor Hugo un complexe d'idées étroitement liées, cohérent et évolutif, dont une des caractéristiques est d'aller en se concrétisant.

Deux appellations qualifient le grand écrivain ou sa compétence: *génie* et *prophète*. La première est une des plus fréquemment utilisées. Elle apparaît en 1819, dans un article sur André de Chénier ([2])

Le génie, c'est la sensibilité. «Un poète (de génie), c'est un homme qui sent fortement, exprimant ses sensations dans une langue plus expressive.» Il est puisé dans l'âme. C'est un pouvoir inépuisable et irrépressible de création puisque «un chantre inspiré du génie en s'épanchant s'accroît encore», c'est un «torrent». Il est reçu d'en haut, par inspiration, comme un don divin. Il apparaît dans les «grandes fermentations» historiques ou à leur suite et il a une mission: «Ses élus sont ces sentinelles laissées par le Seigneur sur les tours de Jérusalem et qui ne se tairont ni jour ni nuit.»

Il s'apparente donc au prophète auquel il est expressément comparé([3]) et dont il réunit les deux qualifications: révéler la parole divine et annoncer l'avenir. L'orientation ou la marche vers l'avenir, voire l'appropriation de l'avenir, est constamment répétée.

Le poète, génie-prophète, est un être que ses dons et ses pouvoirs situent au-dessus de la nature commune de l'homme.

«L'enfantement du génie ne saurait s'accomplir si l'âme ne s'est d'abord purifiée de toutes ces préoccupations vulgaires que l'on traîne après soi dans la vie» ([4]).

S'il est solitaire, détaché par son élection même et par ses lumières, sa parole est transitive puisque destinée à l'humanité: «La littérature (est) cette voix puissante au moyen de laquelle un individu parle à la société» ([5]).

Mais, même quand la mission du poète consiste à se sacrifier, à subir le martyre pour l'expiation des crimes des oppresseurs, son ambition est la gloire([6]). En 1818, le jeune Victor Hugo écrit *Le Désir de la Gloire*([7]) où il dit sans détour son désir d'être, grâce à sa lyre, immortel comme les astres, de pouvoir triompher ainsi de ses rivaux et jouir d'une admiration éternelle:

> Gloire, c'est à toi que j'aspire,
> [...]
> Gloire, ô gloire, sois mon idole:
> Que ton sourire me console
> Et couronne un jour mes accords,
> Que l'avenir soit ma patrie,
> Et que la voix du temps me crie:
> Tu vivras malgré mes efforts.

Si la gloire est le but suprême du poète, la récompense du génie, elle fait aussi son malheur([8]). Dans *Le Génie*([9]), un poème dédié et consacré explicitement à Chateaubriand, la «Gloire» séduit irrésistiblement le «génie» et le tue. Le malheur est donc le prix nécessaire de la gloire.

Sous diverses formes, le malheur est bien lié à la condition du génie-prophète. Les textes du jeune poète ne cessent de dire la malédiction et le cortège des maux qui s'attachent à la grandeur. C'est précisément tout ce qui distingue l'être d'exception, le «géant», qui fait son malheur. À la haute ambition du génie répondent, en effet, toutes les formes de l'ignorance, de l'envie ou du mépris des hommes. Cette association constitue l'un des thèmes les plus constants et les plus connus du romantisme. S'il mérite d'être rappelé, c'est parce que l'inscription du malheur et de l'échec dans la définition probablement la plus ambitieuse jamais donnée de l'écrivain pose un troublant problème d'interprétation à qui s'interroge en termes sociologiques sur le statut et la fonction de l'écrivain et de la littérature.

La promotion de cet écrivain et la proclamation de son appétit de gloire se conjuguent avec la multiforme mais constante affirmation de l'historicité de sa fonction et de la littérature en général. «Les littératures ont leur vie de même que les sociétés.» Elles s'influencent réciproquement, plus précisément il y a «connexité des révolutions poétiques avec les révolutions sociales»([10]). Les grands poètes surgissent dans les époques de troubles sociaux. C'est ainsi qu'est en train de s'opérer dans les lettres françaises «un changement vaste et merveilleux [...] après l'effrayante commotion qui a bouleversé notre sol politique. Ce sont quelques jeunes hommes qui semblent appelés à renouveler notre gloire littéraire»([11]).

La conjoncture historique post-révolutionnaire permet à Hugo de promouvoir les jeunes poètes en les présentant comme des rénovateurs appelés par les circonstances à remplir une tâche particulière: «On dirait que cette nation, après avoir nié et haï, sent impérieusement un besoin secret de croire et d'aimer»([12]).

Walter Scott est exemplaire car il a su comprendre

> ... les devoirs du romancier relativement à son art et à son siècle. Car ce serait une erreur presque coupable dans l'homme de lettres que de se croire au dessus de l'intérêt général et des besoins nationaux, d'exempter son esprit de toute action sur les contemporains et d'isoler sa vie égoïste de la grande vie du corps social. Et qui donc se dévouera si ce n'est le poète?... qui bravera les haines de l'anarchie et les dédains du despotisme, sinon celui auquel la sagesse antique attribuait le pouvoir de réconcilier les peuples et les rois et auquel la sagesse moderne a donné celui de les diviser? ([13])

La conjoncture de la Restauration assigne au poète un rôle historique opposé à celui de l'écrivain des temps révolutionnaires, «écrivain inepte qui jetait en pâture à une société malade des livres atroces»([14]).

Le grand écrivain de génie a toujours «exprimé et fécondé la pensée publique dans son pays et dans son temps. Chacun d'eux a créé pour sa sphère sociale un monde d'idées et de sentiments approprié au mouvement et à l'étendue de cette sphère»([15]).

V. Hugo va ainsi rejeter la littérature récente, frivole et destructrice, pour promouvoir une littérature actuelle, de la «pensée publique» et de la société post-révolutionnaires, donc royaliste et religieuse. Cette littérature est le résultat de la révolution. Elle a pour tâche la reconstruction de «l'édifice social». Une génération d'écrivains et de poètes s'y emploie, redemandant «son avenir aux prétendus philosophes du dernier siècle qui voudraient lui faire recommencer leur passé» ([16]).

Il est donc bien évident que la promotion du génie-prophète est organiquement dépendante d'un ensemble d'idées politiques et religieuses.

On sait que le jeune Hugo s'est très tôt enrôlé sous la bannière royaliste et catholique et sa doctrine littéraire ne peut être dissociée de ce choix. Le génie-prophète est un inspiré de Dieu qui lutte pour la cause des rois. Il exerce un «sacerdoce auguste» ([17]). Le discours sur le poète est imprégné de termes religieux. Dans *Le Génie*, le malheur du poète (en l'occurrence Chateaubriand) est le martyre d'un «défenseur des rois». Le poète dans les révolutions console les victimes et se prépare au «sacrifice». «Il sait que le bonheur du vice par l'innocent est expié.» C'est une sorte de Christ qui apire au «céleste martyre» ([18]).

Le génie-prophète est le promoteur d'un monde à venir monarchique et catholique: «La littérature actuelle est l'expression anticipée de la société religieuse et monarchique qui sortira sans doute du milieu de tant de débris, de tant de ruines récentes» ([19]).

La critique des auteurs du dix-huitième siècle et de la révolution dont ils sont responsables forme le pendant de la justification de ce prophétisme. Le siècle de Voltaire est un âge de «décomposition sociale» où ont triomphé les «doctrines sophistes». Sa littérature se caractérise par la frivolité galante, l'obscénité et l'impiété. Voltaire n'a malheureusement su faire du génie que Hugo lui reconnaît qu'un «frivole et funeste emploi». Il est largement responsable de la «dissolution» sociale et «d'une grande partie des monstruosités de la révolution». Il a certainement fourni le modèle de l'écrivain qui exprime son temps et agit sur les esprits et les événements, auquel il s'agit d'opposer les prophètes positifs et constructeurs du siècle nouveau. C'est en tous points par rapport à l'image qu'il se fait du siècle précédent, de sa littérature et de leur résultat, la révolution, que le jeune Hugo élabore sa doctrine ([20]).

Sa critique ne porte pas sur le seul passé littéraire et politique, elle se prolonge aussi dans l'actualité d'une manière qui précise de façon intéressante la position du jeune auteur. Dans une satire de 1818, *La Colère du Poète ou la manie de la Politique*([21]), il s'en prend précisément à la manie qui obsède ses contemporains. Ceux-ci prétendent se mêler des affaires publiques, gourmander les rois et résoudre les problèmes de l'État. Cette manie est aussi celle des nouvelles et des gazettes qui les diffusent sans lesquelles ces gens ne pourraient vivre. Elle est critiquée parce qu'elle détourne chacun de ses véritables devoirs, mais aussi parce que le soin de gouverner n'est pas l'affaire de tous mais d'un seul:

Que dirais-tu de nous, altière et sage Rome,
Cité qui te laissas sauver par un seul homme?
J'entends dans leurs tombeaux tes vieux héros tonner,
Sans aimer la patrie on veut la gouverner.

Enfin, les «politiques», amateurs de nouvelles, disputent la voix aux auteurs, c'est-à-dire prétendent plus qu'eux à se faire entendre: «Ils dédaignent les arts pour courir les 'nouvelles'. Ils ne s'intéressent qu'au budget et aux impôts qu'ils devront payer et méprisent le poète et son «jargon despotique». La passion politique et l'engouement pour les journaux sont non seulement dangereux pour l'État et pour l'individu mais encore constituent une concurrence mortelle pour le poète. Ils sont aussi l'expression de l'intérêt matériel égoïste et de l'esprit pragmatique fermé à l'art.

Un «vieux nouvelliste» sermonne le jeune poète:

Pauvre fat, que m'importe ou tes vers ou ta prose?
Un budget m'intéresse, et ce n'est pas sans cause,
Il m'apprend quel impôt il me faudra payer,
Et ton style fleuri ne sert qu'à m'ennuyer!

Une autre satire, *L'Enrôleur politique*, répète les mêmes thèmes([22]). Ici encore le poète s'en prend au règne de la politique et au mépris de l'art:

Est-ce trop peu déjà qu'un stupide mépris
Proscrive ces beaux-arts dont mon cœur est épris,
Et que le Pinde, grâce au nom de la République,

Voie en ses verts bosquets régner la politique?
Faut-il passer partout pour esprit de travers,
Ou m'unir aux ingrats qui font fi de mes vers?
Et pour rester français, titre qu'on me refuse,
Sous le joug libéral dois-je courber ma muse?

La passion pour la politique et le mépris des beaux-arts sont attribués à l'opinion libérale qui est l'opinion dominante. L'«enrôleur» propose à l'«adepte» une série de sujets patriotiques tirés de l'histoire de la révolution et de l'empire qui pourraient inspirer une «muse citoyenne». À défaut de faire carrière en «vrai citoyen» qui manie le fouet, il pourrait prendre l'encensoir et ramper sous le pouvoir. Le pouvoir intellectuel appartient donc soit aux libéraux — politiques, pamphlétaires et «patriotes» qui critiquent la monarchie et exaltent la révolution — soit aux ministériels qui flattent le régime. Tous sont ennemis de l'art. Le poète renonce donc à la gloire, inaccessible en ce «siècle impur», et se range dans le camp «ultra» qui n'est pas un parti mais «la France entière».

On le voit, les deux satires tracent une nette ligne de partage entre le culte de l'art et de la poésie associé à une position royaliste et le domaine de la politique et de l'actualité, qui est celui des gazettes et de l'opinion libérale dominante. D'un côté l'écrivain solitaire et ignoré dans son grenier, de l'autre la masse des pamphlétaires et des lecteurs de nouvelles ([23]).

Ce partage se confirme et se précise dans un article écrit pour *Le Moniteur* en 1822 (*Littérature dramatique*) ([24]). V. Hugo dit qu'il gardera «le silence du mépris sur toutes les attaques malveillantes qu'ont prodiguées à M. Soumet les grands et petits journaux d'une faction qui est anti-poétique parce qu'elle est anti-religieuse et anti-sociale».

La poésie est ici déniée aux libéraux et à leur presse et totalement annexée au royalisme et à la religion.

Le combat d'Hugo est encore dirigé contre une «opinion littéraire héritée du passé», du siècle de Voltaire:

> Ils continuent chaque jour de traiter la littérature qu'ils nomment classique comme si elle vivait encore et celle qu'ils

> appellent romantique comme si elle allait périr... Il faut donc leur déclarer qu'il n'existe aujourd'hui qu'une littérature comme il n'existe qu'une société([25]).

L'argumentation contre les tenants du classicisme, «l'immense majorité des esprits qui composent parmi nous le public littéraire»([26]), est fondée sur l'idée de l'historicité des lettres: chaque littérature est l'expression de la société qui l'a vu naître. Les littératures du passé ont laissé des monuments immortels, mais elles n'ont plus d'actualité et ne peuvent plus prétendre fournir de modèles. Toute tentative de les ressuciter est vouée à l'échec. Place au «génie de notre époque», génie unique, remarquons-le. L'arbre de la société présente ne peut, en effet, porter qu'un seul fruit. La littérature actuelle s'impose par la force de sa nécessité. Tous les textes d'Hugo la présentent comme *une* pour l'opposer à celles du passé. Le critère de l'actualité impose également tous les auteurs promus par Hugo et cette actualité s'étend à l'ensemble du XIXe siècle qui est d'avance annexé pour inspirer les jeunes contemporains: «La littérature *réelle* de notre âge [...] voit tous les talents éclore dans sa sphère»([27]).

Ces jeunes écrivains portent en eux «la gloire de notre siècle», ils seront «les chefs d'une opinion poétique qui sera un jour aussi celle de la masse» affirme hardiment Hugo([28]).

L'opinion héritée, classique, est ennemie de l'innovation: «Elle crie que le règne des lettres est passé, que les muses se sont exilées et ne reviendront plus»([29]).

Pour elle, la poésie n'existe que «sous la forme étroite du vers»([30]), ce qu'Hugo conteste constamment.

L'article sur Byron distingue particulièrement parmi les classiques ceux qui essayent de perpétuer «le désolant système littéraire du dernier siècle». Ainsi sont enveloppés et assimilés dans la même condamnation les passéistes en général et les partisans de la pensée néfaste, athée et destructrice, du siècle des Lumières. Sans le dire expressément, l'article d'Hugo suggère la coïncidence de l'opinion classique et du «philosophisme». Définie par une double opposition, la littérature nouvelle s'imposera à la fois par son actualité et par son caractère constructif et religieux.

En attendant, Hugo n'hésite pas à affirmer que les jeunes talents sont «poscrits» et la «littérature réelle» objet d'une «persécution vaste et calculée»([31]). Les génies porteurs de la vérité du siècle sont donc bien les victimes d'une opinion dominante qui refuse de les reconnaître et les empêche d'occuper la place qui est la leur. Le malheur du génie se trouve ici localisé dans le champ littéraire de la Restauration.

À cet ostracisme vient répondre, comme une solidarité dans la solitude et l'incompréhension, la fraternité internationale et intemporelle des poètes:

> Il s'établit entre lui et ces hommes épars que son penchant a choisis, d'intimes rapports et des communications pour ainsi dire, électriques. Une douce communauté de pensées l'attache, comme un lien invisible et indissoluble, à ces êtres d'élite, isolés dans leur monde, ainsi qu'il l'est dans le sien([32]).

La communauté spirituelle des poètes se constitue comme une élite de l'infortune au dessus de la foule des indifférents.

La doctrine littéraire que j'ai rappelée n'est pas entièrement nouvelle. Paul Bénichou a montré ce qu'elle devait au XIIIe siècle, en particulier au courant de pensée religieux, et surtout à la littérature de la contre-révolution ([33]).

La glorification de l'homme de lettres et de sa mission, l'idée du génie, le caractère divin de la poésie et prophétique du poète élu, la promotion de la poésie contre la «philosophie» et comme expression de l'âme, l'exaltation du poète créateur et révélateur, appui de la religion et réparateur de la subversion philosophique, sauveur de la société, à la fois en avant et au dessus d'elle, la gravité de l'activité littéraire après le grand «naufrage» de la révolution, l'accueil par la pensée contre-révolutionnaire des valeurs modernes de mutabilité et de progrès, aucun de ces thèmes n'est propre à Victor Hugo ni à ses contemporains. De là à considérer la doctrine du génie-prophète comme un pur héritage, il y a un pas qu'on aurait tort de franchir.

Une doctrine ne peut être comprise comme la simple somme d'éléments épars. Ces éléments, le jeune Victor Hugo les a noués, enrichis et surtout placés au cœur de ses écrits. Il en a fait comme un étendard pour imposer son image et ses œuvres ainsi que celles de certains de ses contemporains.

Mais avant de voir la fonction de cette doctrine ou la stratégie qu'elle sert, il faut rappeler que cette extraordinaire promotion de l'écrivain, qui va marquer tout le siècle, ne peut être comprise si l'on oublie qu'elle a été une réponse à ce qu'on peut appeler un appel de la conjoncture historique. La génération de 1820 vit encore les suites de l'effondrement d'un ancien régime pluriséculaire, mais aussi celles d'un échec de la révolution qui devait le transformer, échec puisqu'elle n'est pas parvenue à fonder un ordre durable, qu'elle a dévié dans la terreur puis dans la monarchie impériale, effondrée à son tour. Toute cette histoire contradictoire est bien actuelle sous la Restauration. Ni le compromis de la charte ni surtout, à plus long terme, les fondements du monde à venir ne sont clairs et assurés. L'ancien n'a pas disparu, il est même revenu; le nouveau ne s'est pas imposé mais ses idées vivent toujours et sont même celles de la majorité. L'histoire récente a révélé des forces sociales insoupçonnées et discrédité l'idée d'un ordre social immuable. L'avenir reste donc à inventer autant, sinon plus, en termes de croyances et de valeurs fondamentales qu'en termes strictement politiques. L'affrontement était religieux, le présent et l'avenir ont donc besoin de prophètes. Tel est l'appel de la conjoncture. Il pouvait être entendu par tous les camps, mais l'idéologie royaliste, parce qu'elle s'y prêtait, a su y répondre en inventant et en imposant une figure semi-divine de l'homme de lettres. Aristocratique et religieuse, cette idéologie pouvait seule glorifier l'écrivain à ce point, le doter d'un pouvoir surnaturel et le crucifier. L'idéologie libérale, trop égalitaire, rationaliste, individualiste et réservée à l'égard de la religion n'offrait pas les moyens d'une telle magnification.

Mais le génie-prophète doit encore être expliqué en termes de stratégie littéraire. Les textes du jeune Hugo permettent de discerner la fonction qu'il remplit dans la conjoncture de la Restauration. Cette fonction est de démarcation, de positionnement et de promotion pour la conquête du prestige littéraire. Comme la plupart des stratégies, celle d'Hugo est semi-consciente et sa détermination relève d'une lecture plus ou moins indicielle, mais on aurait tort de croire que le jeune homme ignore les réalités du marché littéraire ou qu'il est peu sensible au succès. Il sait que les romans donnent la célébrité et non les poèmes([34]). Il sait le pouvoir des journaux qui disposent du succès d'une œuvre([35]). Il a d'ailleurs créé sa propre revue, *Le Conservateur littéraire*. L'ambition de la gloire, si tôt et si fortement exprimée — thème profane qui détone dans un ensemble si imprégné de religion — va de pair avec la promotion de la figure de l'écrivain, elle est aussi le signe indéniable d'un immense appétit de succès, mais à long terme. «Les aigles rampent avant de s'élever sur leurs ailes», dit-il aux jeunes auteurs trop avides de réussite immédiate([36]). Caractérisant les frères Hugo au temps du *Conservateur littéraire*, Sainte-Beuve les dira, en 1831, «examinant, épiant avec anxiété, mais sans envie, les œuvres de leurs rivaux plus hâtés et sans relâche méditant leur propre gloire à eux-mêmes»([37]).

Le génie-prophète est bien une figure multifonctionnelle. Il est l'instrument d'une tentative de confiscation du prestige littéraire par les royalistes. Le marquage politique de la doctrine est évident. *Le Génie*([38]) exalte expressément Chateaubriand, défenseur des rois. La malédiction qui le frappe est celle de l'exil et de l'hostilité politique. Le «modèle idéal» du poète est Lamartine, opposé comme un pur prophète à la masse des poètes qui, tous, ont fléchi devant les tyrans — et par là il faut entendre, bien sûr, la dictature révolutionnaire et Napoléon — et «baisé des fers illégitimes»([39]). Même Voltaire, l'exemple du génie fourvoyé, est partiellement annexé à la cause royaliste.

Le génie-prophète permet une démarcation nette avec la pensée des Lumières et avec la révolution catastrophique. Tout en conservant l'idée d'un pouvoir de l'écrivain, elle permet d'en définir un nouveau modèle lavé de tout soupçon d'anarchisme destructeur. Ainsi se trouve revalorisée une fonction qui, sous la Restauration, est entachée de responsabilité révolutionnaire.

L'idée d'un pouvoir historique de l'écrivain est donc transférée de la gauche à la droite.

La vo nté de promouvoir une nouvelle génération d'auteurs, affranchis du passé condamné, est constamment perceptible. Les jeunes écrivains sont légitimés parce qu'ils ne se sont pas discrédités dans les convulsions politiques passées mais encore parce qu'ils «portent en eux la gloire de notre siècle»([40]). Ils sont légitimés par l'actualité, parce qu'ils expriment leur époque et leur société. Le génie-prophète permet ici au royalisme de s'annexer, sur le modèle des écrivains du XVIIIe siècle, l'expression du présent et de l'avenir et de justifier les jeunes auteurs par le monopole, fortement affirmé sur l'époque. Le jeune Hugo dit constamment et péremptoirement une main mise sur l'actualité, l'avenir ou l'ensemble du siècle dont les jeunes écrivains seront la gloire. Les auteurs du XVIIIe siècle qui ont été d'avance «l'expression des innovations sociales écloses dans la décrépitude du dernier siècle»([41]) constituent le modèle de cette appropriation.

En s'appuyant sur le siècle par anticipation, le royalisme n'est plus un conservatisme, ses valeurs ne sont plus celles d'un ancien régime révolu. Au contraire, ce sont les libéraux qui par leur attachement au siècle précédent et à la révolution incarnent le passé. Le prophétisme, avec ce qu'il implique d'ouverture vers l'avenir, permet un renversement des positions historiques nées de la révolution fort dommageables aux royalistes — qui font figure de survivance — et la promotion d'une génération d'auteurs qui se trouvent dotés du prestige de la modernité. Il est aussi doublement l'instrument d'une démarcation par rapport à l'opinion dominante des «classiques» parce qu'elle vénère les écrivains du passé et croit à la valeur primordiale des règles, à celles de la prosodie en particulier. Le génie poétique ne se limite pas à l'art de faire des vers, il est la «sensibilité» profonde. Un poète c'est «un homme qui sent fortement, exprimant ses idées dans une langue plus expressive»([42]). «La poésie, c'est l'âme, le génie c'est l'âme.»([43]). «La poésie n'est pas dans la forme des idées, mais dans les idées elles-mêmes»([44]). En faisant de la littérature l'expression du présent et de la poésie l'émanation de l'âme, la doctrine du génie opère un double déplacement qui soustrait les lettres à la juridiction de la critique classique, qui est aussi la critique institutionnelle et libérale vers 1820, et l'élève à un rang supérieur. Elle disqualifie les autorités littéraires:

> J'ai assisté avant-hier à la scéance de l'académie. Que n'y étiez-vous? Vous auriez admiré le courage avec lequel on couronne des platitudes bien correctes et bien léchées. Jamais le génie [...] ne réussira auprès des académies, un torrent les épouvante, elles couronnent un seau d'eau([45]).

Elle sert à distinguer la littérature, et surtout la poésie, par rapport à tous les secteurs en expansion du journalisme, des «nouvelles», qui répond à un intérêt croissant du public pour l'actualité et la politique. À la distinguer et à établir une hiérarchie qui élève l'art au dessus des préoccupations terre à terre des lecteurs de journaux et de pamphlets. Elle magnifie la poésie et l'art contre la presse et les librairies, l'écrivain contre les écrivants. Elle oppose aussi le poète royaliste et un secteur du champ littéraire qui est libéral. Le génie-prophète est une manière de valoriser l'écrivain de fiction en réponse au développement de toute une production abondante d'écrits d'actualité et d'information. Le *Conservateur littéraire*, ainsi que le précise une *préface*, défendra les intérêts de la littérature et des gens de lettres contre les acteurs, les journalistes et les libraires. «Ces trois classes d'individus privilégiés sont celles qui froissent le plus volontiers les auteurs([46]).

Le génie-prophète est d'abord un poète. Le royalisme religieux s'empare donc d'un genre — d'ailleurs abandonné par les libéraux — pour lui conférer le prestige le plus élevé dans les lettres. Les libéraux se voient disqualifiés, je le rappelle, comme «une faction anti-poétique parce que anti-religieuse et anti-sociale»([47]). L'affranchissement de la définition de la poésie par rapport à la prosodie permet de réactualiser et de glorifier la figure du poète créateur divin. La promotion de cette figure, céleste et souffrante, s'explique par sa fonction et celle-ci s'éclaire par les démarcations et les condamnations qui l'assortissent.

Quel qu'ait été son destin par la suite, la figure religieuse du génie inspiré, «géant» qui éclaire et domine l'humanité, est à l'origine une invention de la contre-révolution, imposée par les ultras sous la Restauration comme un puissant moyen de conquête du prestige littéraire, en réponse à l'appel d'une conjoncture particulièrement porteuse. Sa démesure même a fait son succès. Elle est le moyen d'un coup de force de jeunes auteurs contre les autorités qui dominent le champ littéraire et social composées d'anciens, rescapés de la révolution et de l'empire, libéraux plus ou moins ministériels, souvent d'anciens «Brutus» parvenus ([48]), classiques en littérature, comme le veut l'école unanime, et plus intéressés par l'histoire, la religion, les nouvelles et le savoir positif que par la littérature de fiction, ainsi que le montre la statistique de Chasles où cette dernière ne représente que le 18% ([49]).

Dans cette conjoncture, l'inscription de l'échec dans la condition même du génie-prophète est, à coup sûr, selon les textes d'Hugo, la traduction de l'hostilité de l'opinion dominante au poète «ultra». Cette liaison est évidente dans les textes déjà mentionnés qui concernent Chateaubriand, Lamartine et Vigny ([50]). Le poète envoyé par Dieu pour parler aux hommes qui ne l'entendent pas, est le poète royaliste sous la Restauration, porteur infortuné de la vérité dans une société où les gens en place sont très souvent d'anciens révolutionnaires parvenus et compromis, vendus au ministère et bénéficiant de la complaisance royale ([51]).

L'association de la fonction poétique et du rôle de victime, que ce soit de l'indifférence humaine, de la proscription, de la souffrance, voire de la mort, ce dolorisme à tonalité religieuse fait partie des thèmes de la poésie contre-révolutionnaire.

À dix-huit ans, le jeune Hugo se compare à Chatterton et dit attendre la mort que la poésie apportera: «Que le dieu des arts me délivre de ce corps formé pour souffrir»([52]).

Si la conjoncture politique et sociale pouvait donner quelque justification à l'image du poète martyr, rien ne pouvait la légitimer dans la situation du jeune Hugo. Mais l'explication par les faits est quoi qu'il en soit insuffisante. L'échec, la proscription et la souffrance constituent plutôt le pendant de la puissance créatrice et de la grandeur du poète dont ils pathétisent l'image, servant ainsi une stratégie d'appel de l'attention et de la sympathie. La souffrance du génie est, en effet, d'abord une autoconsomption:

> ... heureux ceux qui ne meurent pas, avant le temps, consumés par l'activité de leur propre génie, comme Pascal; de douleur, comme Molière et Racine; ou vaincus par les terreurs de leur propre imagination, comme ce Tasse infortuné([53]).

L'inscription de l'échec et de la mort permet de dessiner une figure peu banale du jeune prophète des temps nouveaux. Elle transforme en bénéfice une certaine marginalité par rapport aux opinions dominantes puisque la proscription en vient à désigner les vrais poètes de l'époque([54]). Elle permet encore d'associer et d'assumer le décalage entre le monopole prétendu sur l'époque, la visée d'une vaste audience et le succès actuel, mesuré, de la poésie. La figure du poète-prophète imite, en la métamorphosant, la figure et la fonction du «philosophe» dissipant les ténèbres. Par ses connotations, elle s'accorde aux archétypes de l'imaginaire religieux, ce dont elle peut attendre un grand pouvoir de pénétration et une grande autorité. Le poète est un Christ post-révolutionnaire, comme le suggère *Le Poète dans les Révolutions*([55]).

Mais si cette figure centrale de la doctrine-stratégie de Hugo est l'instrument d'une disqualification de l'héritage révolutionnaire et des idées libérales, il ne doit pas échapper qu'elle dérobe à l'ennemi, pour se les approprier et les recharger d'un potentiel nouveau, ses références, ses visées et son langage.

La littérature nouvelle répudie l'héritage de la révolution politique mais elle se pose en successeur unique et légitime. Elle est le «résultat de la révolution», ce qui devait donc venir après elle, comme un produit antagonique mais nécessaire, comme la «maison» qui a «mûri sur le volcan»([56]). Le poète combat pour tous les opprimés, pour «le bonheur des peuples», «il parle à la société»([57]), il a non seulement une religion mais une «patrie»([58]). La muse embrasse toute l'histoire, accompagne son mouvement et la révèle([59]). La poésie est «la commune pensée d'une grande nation»([60]), elle revendique l'expression du «goût national»([61]) parce qu'il associe religion et poésie.

Ainsi le génie-prophète s'installe sur le terrain de l'adversaire, comme s'il s'agissait d'occuper au maximum le champ des lettres et de revendiquer pour lui tous les pouvoirs et toutes les fonctions.

NOTES

Les références à Victor Hugo sont données à partir des *Œuvres complètes. Édition chronologique publiée sous la direction de Jean Massin.* Le Club français du livre, 1969. I/1: tome premier, volume 1; I/2: tome premier, volume 2, etc. Pour ne pas alourdir ces notes, je n'ai mentionné que les titres des œuvres.

(1) *Actes du colloque «Statut et Fonction de l'Écrivain et de la Littérature au XIXe siècle».* Université de Neuchâtel (Suisse), Institut de Sociologie et de Science Politique, Cahiers de l'ISSP, n° 7, mai 1986.

(2) *Œuvres complètes d'André de Chénier*, I/1, p. 462.

(3) *Eloa ou la sœur des anges*, II/1, p. 453; Le Poète, II/1, p. 481; *La lyre et la harpe*, II/1, p. 18.

(4) *Eloa ou la sœur des anges*, II/1, p. 453.

(5) *Poèmes*, II/1, p. 41.

(6) *Le poète dans les révolutions*, I/2, p. 811.

(7) I/1, p. 297 et ss.

(8) *Le poète dans les révolutions*, I/2, p. 811.

(9) I/2, p. 795.

(10) *Poèmes*, II/1, p. 39 et ss.

(11) *Poèmes*, II/1, p. 39 et ss.

(12) *Poèmes*, II/1, p. 39 et ss.

(13) *Quentin Durward ou l'Écossais à la cour de Louis XI*, II/1, p. 432.

(14) *Ibid.*, p. 433.

(15) *Préface des «Nouvelles Odes»*, II/1, p. 471.

(16) *Essai sur l'indiférence en matière de religion. Par M. l'abbé F. de La Mennais*, II/1, p. 440.

(17) *Le poète*, II/1, p. 481.

(18) *Le poète dans les révolutions*, I/2, p. 811.

(19) *Préface des «Nouvelles odes»*, II/1, p. 473.

(20) Cf. *Quentin Durward...* II/1, p. 433; *Essai sur l'indiférence en matière de religion...* II/1, p. 438 et ss; *Notice sur la vie et l'œuvre de Voltaire*, II/1, p. 445 et ss.

(21) I/2, p. 289 et ss.

(22) I/1, p. 412.

(23) Dans le même sens, le jugement porté sur la *Séance annuelle des quatre académies* et le début des *poèmes*, II/1, p. 35.

(24) II/1, p. 41.

(25) *Sur George Gordon Lord Byron*, II/1, p. 460.

(26) *Le Parricide*, II/1, p. 51.

(27) *Sur George Gordon...* II/1, p. 460.

(28) *Le Parricide*, II/1, p. 51.

(29) *Ibid.*, p. 50.

(30) *Ibid.*, p. 50.

(31) *Sur George Gordon...*, II/1, p. 460.

(32) *Ibid.*, p. 459.

(33) *Le sacre de l'écrivain*, José Corti, 1973.

(34) *Walter Scott. L'officier de fortune, la fiancée de Lammermoor*, I/1, p. 478 et 479.

(35) *Lettres à la fiancée*, II/2, p. 1206.

(36) *Marie Stuart*, I/1, p. 607.

(37) *Victor Hugo en 1831*, I/2, p. 1002.

(38) I/2, p. 795.

(39) *Les Méditations*, I/1, p. 608.

(40) *Le parricide*, II/1, p. 50.

(41) *Préface des Nouvelles Odes*, II/1, p. 473.

(42) *Œuvres complètes d'André de Chénier*. I/1, p. 473.

(43) *Lettres à la fiancée*, II/2, p. 1109.

(44) *Préface des «Odes et poésies diverses»*, II/1, p. 5.

(45) *Lettre à Vigny du 27 août 1821*, II/2, p. 1307.

(46) I/1, p. 701.

(47) *Littérature dramatique*, II/1, p. 41.

(48) *Epître à Brutus*, I/1, p. 419 et ss.

(49) *Histoire littéraire de la France, tome IV, de 1789 à 1848, première partie,* Éditions sociales, p. 427.

(50) Sur Chateaubriand, cf. aussi *Mémoires, lettres et pièces authentiques touchant la vie et la mort de S.A.R. Mgr Charles-Ferdinand d'Artois, fils de France, duc de Berry*, I/1, p. 639.

(51) *Epître à Brutus*, I/1, p. 419 et ss.

(52) *À Gaspard de Pons*, I/2, p. 803.

(53) *Du Génie*, I/1, p. 518.

(54) *Sur George Gordon, lord Byron*, II/1, p. 460.

(55) I/2, p. 809 et ss.

(56) *Préface des «Nouvelles odes»*, II/1, p. 472.

(57) *Poèmes*, II/1, p. 41.

(58) *Préface des «Nouvelles odes»*, II/1, p. 475.

(59) *L'Histoire*, II/1, p. 482.

(60) *Sur George Gordon, lord Byron*, II/1, p. 461.

(61) *Préface des «Nouvelles odes»*, II/1, p. 475.

Le provocateur: l'écrivain chez les modernes

Charles Grivel
Université de Mannheim

L'écrivain est un provocateur. Il n'exprime pas (ou alors en second); ce qu'il écrit ne saurait être rapporté à une intention (unique ou simple), mais il force sur l'écoute avec du sens. Même si ses préocuppations mercantiles ne prennent pas un tour systématique ou conscient. On n'écrit plus, en effet, en situation de marché, pour plaire, mais dans l'idée d'imposer une convenance: la sienne. La situation de concurrence détermine alors toutes les stratégies, même les plus retorses ou les plus apparemment passives: se draper dans ses convictions est encore une opération publicitaire([1]). La surenchère est alors la règle: plus je me trouve dans le nombre et plus aussi je dois faire en sorte de me distinguer. Ressembler MAIS me distinguer. Correspondre, mais dans la différence. De l'écriture conçue comme le moyen de dissembler. Reprendre, varier, surenchérir. Dans cet ensemble, la dernière variation forte et donc capable d'ériger l'auteur en repère culturel, est nécessairement provocatrice. Ce dernier-venu-là en dit toujours plus qu'il n'en saurait dire et toujours plus en tout cas que ne sauraient en escompter ses lecteurs. Cette provocation, qu'il faut comprendre à la fois comme un geste scriptural et comme un comportement institutionnel, rend compte à mon sens pour une bonne part de l'évolution littéraire;

c'est un élément-moteur, un principe dynamique, bien plus sûrement que les obligations idéologiques qu'il peut arriver que l'auteur se reconnaisse. J'écris donc ce qui ne conviendra pas: je m'arrange pour conforter cet impossible message. Le mal est ma partie, par nécessité institutionnelle et culturelle (mon diabolisme est mon gagne-pain). Être saisi dans la spirale provocatrice, c'est entrer dans la contradiction, mais c'est aussi tirer sa valeur et son intérêt de la contradiction. Mon identité d'auteur m'est retournée comme contradiction, avec toutes les difficultés communicationnelles que cela va entraîner (l'auteur est un ovni, celui d'ailleurs, l'autre et le calque de l'autre). L'incompréhension de nos langages respectifs les uns pour les autres est désormais pensée et accomplie en nature.

Provocation de la littérature

Je pose la provocation. La provocation est dans l'intention d'écrire. Je n'exprime pas (pas seulement), je ne joue pas (pas seulement), je ne communique pas (pas seulement): je provoque: j'en veux à mon lecteur, figure placée au débouché de mon texte, et sur laquelle je tire, comme dans les foires, sur ces ours, entraînés par un ruban et qu'il me faut toucher pour avoir le droit au vase ou à la rose. Provoquer, c'est vouloir forcer l'écoute, s'imposer par la contrainte dans une situation (de marché) qui n'implique pas l'accueil de ma parole. Situation 1, reçu parmi mes paires, on m'écoute par analogie. Situation 2, je séduis le lecteur par intervention du modèle romanesque (j'écris ce qui pourra plaire). Situation 3, celle de la modernité, la multiplicité des voix concurrentes et la diversité des publics requis, ainsi que le gain lié à la production littéraire (pour un auteur et pour un patron), requiert la surenchère. Et qui dit surenchère dit aussi provocation. Puisque je ne puis faire dresser l'oreille que si je détonne. Par déflagration. Ancien Régime: les voix s'entendent dans la conformité. Restauration: les voix parlent de concert. Modernité, dès la seconde génération de la Restauration: les voix ne s'entendent plus. Les stratégies publicitaires démarrent. La différence est de mise. Et la «grosse différence» est la plus sûre. Cette provocation est bien entendu une manœuvre captatrice: il faut «séduire» pour me faire entendre, arrêter à mon discours, convaincre. Je ne puis faire croire que si je frappe. Dans l'état de marché dans lequel nous voici pénétrés, le modèle de la réception passive et linéaire ne suffit pas. Le lecteur ne reçoit pas à lire, le livre lui est tendu, il s'y trouve contraint, des discours d'accompagnement sont mis en place qui orientent son écoute, et le volume lui-même le capte. Triomphe du paratexte? Certes (cf. La Couverture d'images([2])). Cependant, le texte même calcule son lecteur et façonne son oreille. Si j'écris, je choque, je place la demande et l'implique dans mon écriture. Il faut penser au-delà d'un acte communicationnel type, au-delà des effets rétroactifs de la lecture. La situation de jeu non plus n'est pas donnée, dans la mesure où les règles en vigueur sont orientées *contre* le lecteur et où celui-ci ne se trouve pas «au début de la partie». Il joue à fantasmer sur le texte proposé? Mais la teneur en provocation du fantasme — je vais vous faire penser l'impossible! goûtez-moi bien ces horreurs! — dépasse la mise. La crédibilité nécessaire à l'exercice du fantasme est éliminée et celui-ci ne se donne librecours que sous déni, avec humour. Ponson, Féval, Montépin, placent du fantasme que l'écriture parasite automatiquement. Borel ou Lautréamont, Rimbaud et les autres surenchérissent sur la dénégation et font de l'humour (deux fois non!) l'entier du message. (Maldoror, c'est un zéro de plus que Zorro!). Cette opération est sensible par un autre biais encore. Lisant en régime de conformité, je tire mon plaisir des négations mesurées levées en fin de récit. La catastrophe est le ressort du livre, mais elle pointe dès le début sa cessation. Excitation, irritation, satisfaction. Du bonheur dans la douleur. La stratégie — diverse — de la provocation consiste à *barrer la voie du plaisir*: tu ne jouiras pas de ton fantasme! Je chargerai le livre jusqu'à la gueule de façon à ce que la représentation en soit impossible ou insupportable. Écrire contre jouir! La gageure est alors de retenir par expulsion réitérée des motifs de retenue. Comme si lire impliquait l'impossibilité d'écrire. Position sadique de l'auteur en train de proposer à son lecteur d'entendre dans un inconfort psychique aussi grand que possible. Or, le lecteur est un maso. Il s'est lentement développé et découvert comme tel. La vente est peut-être, malgré tout, assurée.

L'argent de l'écriture

Je prends la situation basique, elle servira à faire comprendre le motif impliqué dans les stratégies de la dénégation littéraire que je vais passer en revue. À la base, quelqu'un entreprend de faire de l'argent avec ses livres. Nous sommes sortis de l'ère du mécénat, nous sommes entrés en économie libérale, chaque travail mérite salaire — il convient d'éviter d'être mis au pillage. Soit Alexandre Dumas, qui fait partie d'une première génération d'auteurs contraints de se vendre et contraints de protéger leurs droits de propriété. Dumas, Balzac, Sue et tous les autres, marché oblige, prennent conscience de produire en écrivant. Cette production exige toutefois une commercialisation. Et pour commencer donc la reconnaissance de la propriété: la «Société des gens de lettres» a été mise sur pied à cette fin expresse de protection du bien littéraire. Soit directement, soit indirectement — par le biais de cette société, justement — l'auteur, en situation basique, est «dans les affaires». Il tire des sous de sa plume. Cette situation incontournable n'est pas sans entraîner un certain nombre de conséquences remarquables. D'abord, sur le *nombre* des produits à mettre en circulation: pour gagner de l'argent, il faut beaucoup écrire, écrire régulièrement. Ensuite, sur l'*identification* du produit à commercialiser: il doit être muni d'une marque reconnaissable valorisatrice (un nom, qui atteste à la fois sa valeur et son origine tout en réservant l'exploitation). Troisièmement, sur la *nature* du livre à proposer au public: accélération de la production + multiplication de l'obligation de vente + homogénéisation de l'affiche identificatoire signifient une transformation radicale intrinsèque du texte à écrire. Le texte, en effet, doit permettre une écriture *rapide*, à la limite il n'est pas retouchable et doit sortir fini au premier jet. Ce texte doit être *lisible*, d'appréhension aisée par le plus grand nombre. Lisibilité plus rapidité signifient que l'auteur doit recourir à des modèles éprouvés et travailler à coup sûr, clichés en main, pour susciter l'intérêt. Cet intérêt du texte est double: le texte doit se renouveler — il faut pouvoir en acheter au fur et à mesure que le désir qu'il produit d'être lu se fait sentir. Ce renouvellement perpétuel du *désir de lire* est une règle — insuffisamment aperçue — dans un champ littéraire commercialisé. Chaque livre, non seulement, doit pousser à sa propre consommation, mais encore diriger vers sa suite, faire attendre un nouveau contentement bien entendu du même ordre. Les plus perspicaces des auteurs (Gautier, Vallès, p. ex.) ont remarqué ce phénomène: c'est un même produit qui est offert au public, on en modifie quelque peu l'apparence. L'économie de marché exige la perpétuation du désir, ainsi que la relance infinie de son contentement. C'est ainsi qu'intervient la nature du produit donné à lire: le *roman* — une *fiction*. Le roman prend le désir en charge, il lui donne forme, il le finalise, il lui fournit un champ. Or, cette forme romanesque est à la fois close — finalisée vers un bien — et ouverte — propre à susciter la rupture intéressante. Pulsion du roman: ouverture et fermeture, battement d'une forme qui trouble puis établit le sens (voir ce que j'en ai longuement dit in *Production de l'intérêt romanesque*, 1973). Cette forme littéraire, directement calquée sur le psychologisme primaire de l'individu, entretient et exploite à la fois sa demande. Elle met hors compétition toutes les autres formes concurrentes — mis à part le théâtre, et pour d'autres raisons. Ainsi, une entreprise littéraire, façon Dumas vend de la fiction, c'est-à-dire de la *pulsion représentée*. Elle est imbattable, interminable et renvoie les autres modes d'expression littéraires aux oubliettes ou presque. Littérature devient fiction. Littérature devient nourrissement du désir de lire et celui-ci s'attache au pur battement originaire du désir. Ceci entraîne à son tour toute une série de conséquences sur la conception de l'auteur en société. Par exemple, que c'est un personnage public. Par exemple, qu'il se doit d'afficher son nom: ses extravagances sont comprises comme de la propagande — et en fait, elles le sont, positivement, etc. Cependant, comme le texte littéraire est supposé devoir faire plaisir, le revers de la médaille est alors que l'auteur passe au rang d'amuseur. Dès qu'on paie ses livres, il entre en foire. Son discours quitte la sphère du sérieux. Il parle et poigne, il n'enseigne pas. Le roman sera donc réputé distractif ([3]). Et compris ([4]) — éventuellement — comme un danger pour les âmes faibles, justement sur la base de cette nécessité. L'auteur écrit pour faire envie de lire: cet intérêt lui est retourné comme un *non-sens*. Le nœud culturel est fait; nous n'avons pas fini de nous débattre dedans.

Celui qui dit non

Celui qui dit non est le poète. Type Chatterton, immortalisé par Vigny. Lire *Stello*, à ce sujet, y compris entre les lignes. En effet, le portrait de l'affairiste des lettres que je viens de proposer compose en creux celui de son opposite: le littérateur de la solitude. Celui qui ne poursuit pas une carrière. Celui qui ne prostitue pas sa plume. Celui qui tire de cette indépendance même la conviction de sa propre valeur. Cet écrivain qui ne vend pas s'appelle un *poète*. Il prend le contre-pied de la vision épicière du monde. Tout d'abord, son pari est celui de l'inutilité de la littérature — dans un monde bien sûr adonné au commerce et au lucre. Le message qu'il délivre — vérité des vérités — échappe à tout public — cette inactivité ou cette incommunicabilité étant le *sûr indice* de leur valeur (vérité, oui, mais pas pour être entendue), voire même son contenu réel (vérité, oui, de n'être pas audible ou accessible). Solitude et désaffectation, hors-place d'un sujet qui revendique cette exclusion et qui y voit la marque de son élection. Multitude carriériste d'un côté, pauvreté radicale du poète, de l'autre (Chatterton se nourrit de gâteaux offerts en cachette par les enfants de Kitty Bell). Situation de mendicité non assumée, bien sûr, pensée comme seule alternative à la professionnalisation dommageable. Selon ce modèle, le poète et l'épicier forment un couple antithétique parfait: ils se définissent par bloc et par contradiction: l'un pour l'autre ils sont les représentants du ridicule, c'est-à-dire de l'absence d'être. Gilbert, Chatterton fournissent ainsi les types du refus; ils se définissent eux-mêmes comme des «ennemis du genre humain» et puisent dans l'outrance de leur programme de désaffection de quoi imposer, malgré tout, culturellement, à l'observateur que nous sommes (ou avons été) et à la femme-témoin qu'ils aiment! de quoi arracher la conviction. «Je crois en moi, parce que je sens au fond de mon cœur une puissance secrète, invisible et indéfinissable, toute pareille à un pressentiment de l'avenir et à une révélation des causes mystérieuses du temps présent», dit Stello. Cet élan explicatif, cette volonté sans débouché, exutoire ou expression, sont fondatrices de son «nom» par opposition à la foule, qui en est démunie, puisqu'elle vit ses désirs, leur reconnaît une nature et leur adapte des moyens de satisfaction. L'écrivain-poète revendique ainsi l'échec et l'absence — Stello n'écrit pas, il mélancolise sur un divan! — et les portraits-miroirs qui lui sont proposés gisent sur des grabats ou des lits d'agonie. À la limite, le suicide et la mort comme moyen de signer radicalement son être. C'est mort que je suis! Bien entendu, cette mort est pensée comme un spectacle. Elle s'offre au lecteur — comme un scandale, doit faire vibrer chez lui la corde de la pitié et animer son sentiment de la justice. Cette mise en spectacle revendicatrice d'une mort valorisatrice passe par le lecteur — celui qui est en tiers dans la conversation entre Stello et le Docteur Noir. Il assiste à une psychanalyse. L'homme de science entend guérir de son spleen le jeune homme coupable de vapeurs. Mais le lecteur déduit de la mise en scène dédoublée des malheurs du et des poètes de quoi admettre la réévaluation qui s'impose. Écrire est une *stratégie de la revendication des valeurs*. Le tableau de la plainte, les figures du spleen ne sont pas présentés en tant que tels, mais seulement pour faire échec à la vision basique, ordinaire, d'une industrialisation littéraire; le sanglot et l'ennui, doublement représentés (chez Chatterton et chez Stello), constituent *en vérité le comportement de dénégation*. Dire non ne signifie rien (ne possède aucune valeur), tant qu'il n'est pas théâtralisé comme un destin. Je suis non, je suis poésie, du moment que je montre en mourir.

La double mise

Négation de degré second, exacerbation de la négation, programme frénétique: Petrus Borel, dit le Lycanthrope, Xavier Forneret, dit l'homme noir. Il faut jouer deux fois sa négation, un premier coup comme dénonciation, un second comme investiture: un je souffre, deux je fais mien ce destin. Provocation existentielle donc, tirée de l'œuvre mise en place comme un canon. Je suis républicain comme un loup, dit Borel, par plan de cruauté, volonté d'agression, aliénation agressive. La justice et le sens ne sont pas dans mon programme, même s'ils en figurent la cause. La nature borelienne? C'est le guignon. Être mal en place et ne posséder aucun moyen d'inverser le cours des choses: le pire lui arrive, ce pire est son destin, pauvreté et méconnaissance comme essence. «Il n'était pas contemporain», dit le commentateur, «je vous écris de mon désert», dit l'auteur ([5]). Cet hors-jeu, cette exclusion, cet exil, la position albatros mais sans aucune atmosphère possible, Borel le retourne contre le social. Ce qui était circonstanciel, il le lui renvoie comme nécessaire: je suis votre malheur et votre mal! Écrire sadien, en quelque sorte — mettre ses héros en Bastille, les torturer et massacrer à toutes les pages et ne les libérer que fous! —, par défaut de révolution. Écrire la destruction à l'état pur, sans plus de justification. Par complaisance affichée et provocatrice: le sang coule, symptômatique seulement d'une identité négative. L'homme-loup n'agit que par la gueule; il est appétit, il représente le drame continu sans issue de ses personnages et entre lui-même dans ce drame: il (l'auteur) quitte la scène littéraire, devient inspecteur colonial en Algérie, s'attire pour sabotage ou négligence blâme sur blâme et est finalement renvoyé. Il survit en famille sur ses terres, avec une compagne folle, ayant épousé la fille de celle-ci. Son fils s'appellera Justus. Une vie donc, passée à écrire pour cesser d'écrire, la fatalité revendicatrice comme programme. Borel autosymbolisateur. Je me représente le pire: un livre est un miroir de moi que je vous tends, spectacle insupportable et qui signifie pour vous le non-lieu de lire. Car la vérité est faite «de boue et de sang» et ne se sublimise pas dans un sens ou un désir positif: quand on ne sort pas de la vallée de larmes, que lire et que faire? Le pire a lieu. Sur la table, «du pain de farine d'ossements», le désir de la mort est le sens qui habite la représentation. Je donne à lire ce désir. Je mets en scène le projet mortuaire sans faille. L'infortune? Preuve supplémentaire! L'éreintement critique? Rentre dans le plan! Écrire installe dans une visse sans fin; aucun contraste, hors-jeu ou sens, n'intervient dans le tableau: *noir est noir*. L'«apparence de fange» ne s'interrompt pas; choisir l'abrutissement du destin du garçon de charrue — Jean Laboureur dans *Champavert* (ce destin qui sera donc celui de Borel lui-même!) — ne compense rien: *on ne sort pas*, la position néantifiée-néantifiante est l'unique. Le désir de suicide que pointe le texte est donc conforme. Ce suicide est insignifiant: le suicidé ne laisse rien derrière soi. Dans ce monde de la faute, de la douleur, du scandale, du manque et du bannissement («aller plus loin qu'en Alger»([6])), il n'y a rien à dire qu'à liquider. Les livres de Borel sont des apocalypses: le fils est mort, le père est mort, la mère est morte. Et s'ils ne périssent point, ils sortent du monde par la voie de la démence. Tous au puits! Le monde est un trou où se jeter! Une écriture par et pour le vide. Mise en scène généralisée de la terreur à l'œuvre. Il n'y a pas de façon d'être, sinon mort ou fou. «J'ai mis la boue dans le ciel!»([7]) — et deux fois: par le texte et par ma vie. Ainsi le monde se referme-t-il sur le monde, l'espace n'offre aucun contre-champ, aucun Olympe ou Enfer: nous y sommes. La littérature a servi à dire ce que ça voulait dire; elle a proposé du monde un spectacle signifiant tirant son sens d'un au-dessus ou d'un au-delà, Dieu, Diable ou Bien. Borel: ici le couvercle est refermé. Ce n'est pas le non-sens: le non-sens *est rien*! Je montrerai donc *rien*, vivrai rien et m'en irai en infligeant le quelconque spectacle: je laboure en Alger! Il faut insister sur la trajectoire borelienne. Dans un premier temps, il s'agit de forcer l'écoute par exacerbation de la mise en scène. Comme si le but était d'apeurer une fois pour toutes avec le spectacle du rien à l'œuvre. Dans un second temps, il s'agit de soustraire le message à la vue. Car la vue spectaculaire est encore une jouissance non conforme à la vérité du message de mort. Donc je partirai. Donc je n'écrirai plus, je ne modéliserai plus, je vais fondre dans l'ordinaire. Rien ne sera désormais plus captable — sinon par le malentendu. En fait, je me serai éteint. Ce désamorcement du message — ce théâtre négatif où nous sommes ne possède ni salle ni coulisses —, ou plutôt ce désamorcement de toute sublimation lecturique, Borel l'accomplit deux fois: par l'hyperbole (il s'agit de dégoûter son lecteur), et par l'humour (minorisation du travail et du texte). Je ne suis pas crédible et je m'arrange pour n'engendrer aucun sérieux. L'auteur pousse en avant la négation, mais aussi la disqualifie d'avance. Borel n'est pas récupérable. D'ailleurs, il n'est toujours pas publié. Il a réussi son coup, il est sorti.

Position Xavier Forneret. Analogie entre le comportement de Forneret et celui de Borel. En quelques points pourtant, le premier radicalise le plan. Ne serait-ce que parce qu'il n'a laissé aucun livre bien complet de sa littérature: l'institution ne juge toujours pas recevables les ouvrages qu'il composa, le silence qui l'accueille n'est pas brisé, et si l'on parle de lui c'est comme d'une curiosité, tout en ne le comprenant pas (par ex. l'interprétation des surréalistes est une falsification, eu égard au projet forneretien, je vais le montrer). La provocation chez F. est totale: je ne veux pas écrire, dit-il([8]), rien ne me force à écrire, d'ailleurs je n'écris pas, et ce que j'écris n'est pas bon. Ce que j'écris vient de moi, c'en est la seule et unique vertu — encore que ce moi cliche et puise à pleines mains dans les stéréotypes qui permettent à quiconque de penser les pensées de quiconque, justement. Kaye, le critique attitré, navrant de bon vouloir mais navrant d'incompétence analytique, évidemment va trouver chez Forneret le meilleur et le pire([9]). Le médiocre est à ses yeux la banalité écrite, l'aphorisme bêbête qui abonde dans les livres de Xavier. Xavier est contradictoire — dit le critique — d'être à ce point, «original», mais par éclairs. Un bon auteur est plus constant dans son style: comment n'être pas toujours bon? Comment faire croire qu'écrire produit réellement le fatras? Ainsi Xavier convient-il, mais à moitié, à la peinture du bon auteur — il est «excentrique», ce qui est un bon point, mais c'est un gros propriétaire à Beaune, malembouché et faiseur de procès, extrêmement à cheval sur l'honneur, capable donc de tous les poncifs. Mauvais point, point affligeant. Puis-je être propriétaire et penser? La critique, en retard d'un tour de roue, ne le pense toujours apparemment pas. D'un côté, prééminant et mis en valeur, l'excentrique, l'homme noir, l'homme seul, dormant dans son cercueil, impopulaire et ruiné, accusant sa compagne de tentative d'assassinat([10]), de l'autre le chantre des grands thèmes moralisateurs (liberté, patrie, honneur, conjugalité, propriété, etc.)([11]). Le comportement littéraire de Forneret est donc marqué du coin de la contradiction. Cependant, cette «contradiction» est à mon sens un effet de lecture. Admettons que cet auteur choisisse de dire ce qu'il dit dans les deux sens et à la fois. Admettons qu'il suive le modèle — consciemment ou pas — de la provocation. Admettons que rien ne l'empêche de ne pas être conforme à l'image du bon auteur. D'abord — preuve! — sa littérature, il ne la vend pas: «O franc» et c'est à disposition([12]), livre en don, distribué gratuitement par l'imprimeur sur une liste agréée par l'auteur où on se sera fait inscrire([13]). Ensuite, mon texte est insignifiant, dit-il luimême. «Mauvais». Ce n'est «Rien»([14]), ça ne porte pas de titre, c'est «Vapeurs», «Vapeurs ni vers ni proses», «Pièces de pièces, temps perdu», etc. Je suis auteur, à peine, du livre([15]). Vais-je commencer? Cela vaut-il la peine d'être commencé? Du reste, pourquoi? Voici donc l'auteur peu sûr d'une littérature incertaine et inutile. Négation retournée sur soi. Par suite, mécompréhension généralisée et suppression du poste de lecture. C'est cela la provocation: je ne vous donne rien, ou pas grand chose à lire, d'ailleurs, qui suis-je pour le dire? Enfin, je ne vous l'affirme pas. La position est d'humour. Mais cet humour ne la transcende pas. Forneret est aussi un écrivain plat — naturellement plat. Niant la différence littéraire de ce fait même. Quand l'auteur dit pour clore qu'il ne clot pas, «la suite à l'année prochaine» ou bien «la suite manque, à plus tard, à bientôt, peut-être», il retire ce qu'il dit de toute lecture. Quand il dit ne rien faire d'autre que le simple compte de ce qui est parlé — copie de bouche, pour ainsi dire, il tue le projet littéraire dans l'œuf. Il n'échoue pas, il liquide. Quand il affirme que ce qu'il écrit n'a pas besoin d'être compris([16]), il retire tout point d'appui au lecteur, même si, en effet, le lecteur ne comprend jamais ce qu'il lit, mais l'encaisse: Xavier plaque l'identité lectrice sur son rien-être. Quand il agence ses scènes et ses fantômes en pleine outrance, les baignant généreusement dans le sang, les faisant mourir le plus atrocement possible, assassinés au moins, ou bien devenir fous, il arrache au lecteur le cri qu'il pousse lui-même au spectacle de ce qu'il écrit: «C'est trop fort!»([17]). C'est une récusation. Mais aussi cette scène généralisée — donc, outrancière — est la vérité du réel dont il parle: au fond de l'outrance, le vrai. Plus vous donnez dans le mélo, plus vous toucherez aux vérités simples dont le discours social abonde, insupportables celles-là d'être déguisées en bonté, charité, honneur, justice, etc. Sur une scène totale, et totalement négative, ce qui ressort est l'impitoyable Loi ordinaire. Il ne convient pas de crier à la mystification. Tout fait sens dessous, Xavier prend la peine de l'indiquer, mais ce dessous donne un désordre, car il se pense avec ce à quoi il se substitue, et même il ne s'en distingue pas. «Non c'est oui»([18]) n'est pas une pirouette clownesque, une imbécilité, une inconséquence ou une suprême logique. Il faut plutôt penser qu'est ce qui n'est en effet pas, et réciproquement dans les deux sens. Tous les ouvrages de Forneret impliquent — et déclarent — ce régime duel (*Cercueil vide — Cercueil plein, Rien — Quelque chose, Rien — Tout, Vapeurs, ni vers ni proses, Sans titre, par un homme noir blanc de visage*. Cet auteur écrit avec et contre l'autre, «moi c'est toi»([19]). Cet aveu, cette évidence, littérairement, ne passe pas. Car la littérature se pose — s'impose — comme le spectacle grâce auquel, justement, l'autre deviendra l'autre et jouira de ce devenir même. Écriture des limites, dans la mesure où ce qu'il écrit est irreconnaissable: le malheur et le crime systématique, qui reflètent la simple banalité de la pensée ordinaire sans que celle-ci s'en doute, contiennent trop de négativité pour faire entendre leur position de réflexion. Inversement, la parole ordinaire, plaquée à même tous les Birotteau du monde, bouvardise platement sans pouvoir faire spectacle:

je vois trop, je ne vois rien, deux faces de la même cloison, mais impuissantes à se réfléchir. Ne pas pouvoir être lu est encore la preuve de cela. La provocation mène à Rien, mais ce Rien seul l'auteur l'entend. C'est aussi lui qui se tait.

Donne et redonne

Lautréamont écrit deux fois. Les *Chants*, puis les *Poésies*. Les premiers se corrigent d'eux-mêmes au fur et à mesure de leur écriture (pour aboutir à du roman-fiction), les secondes mobilisent les textes passés et en rejouent le sens sur les bases qu'elles entendent, elles, fournir. Cependant, ces *Poésies* ne sont elles-mêmes pas des «poésies», mais au mieux que leur «avant-propos» ou leur programme. La correction pousse d'un cran; on n'arrête pas le processus correctif. Comme si infiniment écrire à la fois poussait à des accomplissements indus et comme si aussi il astreignait nécessairement à la relance: je ne puis pas ne pas me conforter dans mon genre, je ne puis pas non plus ne pas revenir sur mon ouvrage, une fois, deux fois, dix fois, non pour le parfaire, mais l'empêcher plutôt de parvenir à la perfection de son genre. Dénégation systématique programmatique, appuyée sur un délitement imparable des textes en eux-mêmes. Lautréamont s'est avéré «illisible». Ce qu'on reconnaît sous ce nom n'étant à vrai dire que le produit fantasmatique d'une non-lecture([20]). Échec, oui, de n'avoir pu engendrer la lecture adéquate à la visée, mais succès — hors institution — de n'avoir pas donné dans le panneau de l'échange culturel: la visée lautréamontienne ne prévoit pas d'usage réel du texte qu'elle suscite. La dédicace des *Poésies* aux condisciples et aux maîtres l'indique, alors qu'il est avéré que ceux-ci n'étaient pas à même d'entendre le message: il n'y a pas de message, je puis donc en toute tranquilité m'adresser à des sourds! Provocation lautréamontienne donc. Négation infinie et infiniment reconduite. Insupportable. Ce n'est pas plutôt posé que c'est déjà nié. Jeté derrière soi. Le problème du provocateur est celui-ci: comment ne pas laisser s'installer le oui? D'abord, en reniant successivement — sans pourtant l'annuler — le texte qui a précédé([21]). Ensuite, en niant l'affirmation de principe: Maldoror sert à cela. Troisièmement, en niant la négation qui a précédé dans le plan: Isidore renvoie Maldoror à la trappe. Ceci doit être déclaré «méthode»([22]) et non changement de cap. Il faut bien comprendre que Lautréamont conçoit l'expression comme un forcissement des traits: écrire c'est accuser le portrait, la négativité provocatrice est donc déjà toujours à l'œuvre. Quand il confie à son éditeur: «Naturellement, j'ai un peu exagéré le diapason pour faire du nouveau»([23]), il faut entendre que la stratégie qui entraînera son œuvre dans son mouvement spiraloïde négatif est déjà, dans son geste inaugurateur, entrée en action. Méthode — non inspiration. Calcul — non communication. Viol de la pensée de l'autre — non dialogue, non conversation. Littérature pensée comme une opération de chirgurgie mentale. Le lecteur ne lira pas — il tendra bien plutôt le cou ou on le lui tordra. Glissement tournoyant généralisé, et non pas linéaire, d'écrire. Un vol saisit le texte, dont le geste n'est sensible d'aucun point de vue extérieur: on ne lit pas ce qui entraîne le point de vue de lecture dans son implacable mouvement de négation. Surtout si celui-ci est sans répit. Maldoror, héros-témoin, premier retournement des cartes lautréamontiennes, est avancé sur l'échiquier comme un démon malfaisant dont les horreurs doivent faire trembler et qui, par cela même, doit entraîner à bien faire. De la parabole donc par le mauvais exemple. Cependant, comme chez ses augustes modèles romantiques bon teint, Maldoror contient le germe d'une positivité grâce à laquelle on supporte de lire (ou: reçoit quelque chose à lire). Si c'est le cas, le geste maldororéen est burlesque, il s'agit et se contredit. Le mal tient la plume, alors que c'est Dieu qui dicte la Loi([24]). Cependant, les mêmes articles de foi valent pour lui en dessous de sa parole: autrement, on ne comprendrait pas sa révolte; Dieu est certainement méchant, ses créatures, de même; cependant, un observateur — Maldoror, justement — exprime cette méchanceté, abonde dans son sens, tout en faisant état de sa douleur: je souffre, donc le Mal est, donc le Bien manque, donc le Bien est, je jouis à la fois de ce double insert ou transfert. Ainsi faut-il lire cette «brèche ouverte dans le semblable» par le biais d'une écriture spéculaire: le spectacle touche et annule immédiatement la position d'écoute, il n'y pas de lecture — sinon dévoyée — à Maldoror. Cet inconfort est d'autant plus visible que l'auteur n'a de cesse qu'il n'invraisemblabilise son homme à tout faire: Maldoror a des aspects de mannequin, c'est un «épouvantail» rapiécé: impossible donc de m'identifier. Pas de base philosophique, psychologique ou narrative stable. L'autodestruction est ma Béatrice! Ce n'est pas tout, l'outrance signe tous les gestes de l'écriture lautréamontienne: rien n'est dit qu'enlevé dans un mouvement d'excès. L'excès du mal fait virer au bien, le mal s'épuise dans des représentations liquidatrices de toute crédibilité — je les saute, elles sont connues. Représentations donc à fond perdu, la négation ne tient pas, de même que l'affirmation qui pourtant est (elle seule) ne se représente pas (preuve: les *Poésies* sont apparemment — l'introduction au livre du Bien — de la Correction — qui n'a pas vu le jour). Cependant encore, ce Bien, débarrassé de la métaphore poétique ou romanesque, devenu «maxime», n'est sensible a) que dans la réécriture en banalité des grands auteurs, b) que disqualifié lui-même (preuve: aucun lecteur ne croit pour lui-même aux clichés lautréamontiens — il faut dire: ducassiens). L'œuvre par crans successifs d'Isidore Ducasse propose le modèle d'une provocation achevée: ce qui est donné à lire est retiré à lire — avec ou sans rationnalité. Le «purgatoire» du lecteur ne cessera pas. Lorsque la critique atteint la critique, son écriture, la position d'exposition qu'elle a, ainsi que les possibilités d'accueil, rationnelles ou pas, qu'elle nécessite, que dire et que lire? Comme dit fort bien Ducasse, ça ne finira réellement qu'avec ma mort([25]). La pulsion correctrice est infinie. Lisons l'*Avis*, qui précède la dernière publication de l'auteur: «Cette publication permanente n'a pas de prix. Chaque souscripteur se fixe à lui-même sa souscription». Cet «Avis» contredit peut-être le prix marqué de la brochure par l'éditeur (un franc) (?), il vérifie en tout cas le projet: c'est hors circuit que ça s'écrit, c'est soi-même à soi-même que ça s'écrit, ça n'en finira pas d'être écrit. La machine à dénégation continue non-oui, non-oui, etc. est en place. Nous ne pouvons plus ne plus l'imaginer suivre sa route.

Le passage à l'action

Rimbaud. Un peu plus avant vers la fin du processus, un tour d'écrou de plus. (Prochain serrage: Rigaud, Cravan — mais la surenchère, forcée, contraint à l'inventivité: nous, les auteurs, sommes, les petits malins du système: il nous a, mais nous l'avons aussi). Une opération en deux moments: 1) le poète, 2) le négociant. Les deux moments, qui, comme on sait, ont valu bien des cheveux blancs aux biographes, sont des revendications hyperboliques, le premier, de la parole, le second, du silence. Il faut entendre ces deux moments l'un par rapport à l'autre, sur une même ligne, dans la visée d'une intention unique: Rimbaud n'est pas un poète, car il cessera de l'être pour commercer; il n'est pas un commerçant, car, ayant été poète, il a cessé de l'être — commerçant — pour ainsi dire avant de le devenir. Double ou triple provocation: je ne suis ni qui je suis, ni qui je serai, ni qui j'ai été. Provocation par dénégations successives «empilées» d'un discours *sans place*.

La position rimbaldienne de base, celle qui donne le poète, est nette: c'est la *colère*: Rimbaud jeune est en état d'offense, hors de soi, saisi par l'emportement de ce qu'il est. Provincial débarquant à Paris un beau jour de 1870, il se trouve requis — par les cénacles intellectuels —, mais incompatible. Exclu, il s'exclut et s'emploiera à se donner des raisons de l'être, devenant donc l'insupportable voyou dont il a laissé la trace, s'évertuant à établir sa «méchanceté» et même sa «furie»: «Je suis dépaysé, malade, furieux, bête, renversé» — lettre du 25 août 1870. Celui qui tentera de mériter l'épithète de «Tropmann enfant» qu'un journaliste lui applique à la même époque s'écrie aussi qu'il n'a pas de cœur, que sa supériorité provient de là([26]), persiste et signe — dans les *Illuminations*: «J'attends de devenir un très méchant fou»([27]). Écrire, c'est alors exercer la pensée mentale issue de cette méchanceté, gesticuler violemment dans les mots avec elle, profiler ou promettre les désastres désirables qui doivent en découler: «Il est des destructions nécessaires... Il est d'autres vieux arbres qu'il faut couper, il est d'autres ombrages séculaires dont nous perdons l'aimable coutume. Cette Société elle-même: on y passera les haches, les pioches, les rouleaux niveleurs», «Quel travail! Tout à démolir, tout à effacer dans ma tête!»([28]). Et à la question exclamative de *Conte*, poème des *Illuminations*, «Peut-on s'extasier dans la destruction, se rajeunir par la cruauté!», la réponse est bien entendu — parce qu'elle n'est pas recevable — oui. La position de rejet est aussi la position d'écriture et l'objet *unique* de cette écriture-là: «Quand nous sommes très méchants, — que ferait-on de nous?»([29]). Réponse: rien, heureusement rien, je suis comme je suis, insupportable et agressif, pour échapper à votre emprise. J'écris: *zut!* 1) par refus, 2) par échec, comme il se doit avec un tel mot; ma position est *zutique*, ma politesse est *zutique* — comme l'*Album*, qui n'énonce que des grots mots, bien. Je renchéris sur l'obscène et par sexe interposé. Je pose rien et je montre rien: qui se tient à la place où il n'y a rien? puis retourne: «Qu'est mon néant, auprès de la stupeur qui vous attend?»([30]). Clameur qui n'est que clameur: je dis que non et je non-communique.

Cette position du bon poète porteur d'un message canonique — le progrès, même si c'est le progrès à rebours, dans un monde qui se réserve d'en définir les normes — est piégée: Rimbaud l'a compris, il a compris — très vite — qu'on ne dit pas la vérité sans la faire, que la vérité ne supporte à vrai dire pas d'être dite. Que prétendre à la voyance, telle quelle, est un coup de force insignifiant. Qu'il convient de renchérir sur la provocation — à mesure et en avant. Affirmer premièrement être le dépositaire du message — quelque chose comme un phare, tout de même —, mais affirmer deuxièmement ne voir pas, ne capter pas, n'illuminer pas: «Puis-je décrire la vision, on n'est pas poète en enfer»([31]). Le point où portait la provocation était le langage; la provocation se soutenait de mots (sacrés beaux mots!); il ne convenait pas de laisser la provocation s'installer (comme un tour, un rôle): nier ce qui a été posé est nécessaire à la vérification de ce qui a été affirmé, nier, nier toujours, *nier deux fois de suite*, afin de faire cesser l'entraînement au bien de tout discours. C'est ce que j'appellerais le cercle provocatoire: vous dites ce que vous dites contre ce que d'autres ne disent pas, mais l'affirmant vous vous condamnez à entrer dans leurs vues *à mesure qu'ils vous entendent*. Il faut donc raffiner. Démentir et raffiner. Se laisser aller à non et emprunter la voie de la spirale. Rimbaud pose l'absolue puissance du verbe au temps 1 de la voyance. Il va poser maintenant l'absolue puissance du mutisme au temps 2 de la démonstration, il le doit, *pour les mêmes raisons*: «Ne vous étonnez pas que je n'écrive guère: le principal motif serait que je ne trouve jamais rien d'intéressant à dire». Harar, le 25 février 1890([32]). Écho par avance, *Les Illuminations*: «Je suis maître du silence»([33]). Et dans la *Saison*: «Je voudrais me taire», «Plus de mots», «Je ne sais plus parler». Toutes ces assertions stipulent qu'il n'est pas possible d'affirmer — et cesser d'affirmer, c'est fermer sa bouche. Clore donc le cycle par la négation du cycle: être incompréhensible ou être inadmissible, puis être tout simplement loin. Première négation: être le poète. Deuxième négation: ne plus l'être. Enfin donc devenirl'autre qu'on avait prétendu avoir été, réussir l'aliénation propice([34]). Première négation: par la parole. Deuxième négation: par l'action. Cette action est muette (au Harar, aucun interlocuteur possible). Devenir «nègre», c'est-à-dire sortir de sa race, devenir le travailleur imbécile, navré et navrant, d'un Occident qui le commandite (aller gagner son or en Afrique pour le déposer chez les Blancs) — ce sont aussi des mots de la *Saison*. *Et s'épuiser dans cette action même*: le Harar — centre des connotations — vide son homme de toute fin, projet, gain. On va au Harar ne rien faire (même si l'on s'y agite), ne rien être, ne rien vivre. Le Harar est un temps pour rien — le temps second —, vaguer — à vide, pousser sa caravane à travers un pays qui n'en est pas un, avec des «défenses d'ivoire» et 18 000 francs — or dans sa ceinture. Borer: «Les Ogadines sont hors temps»([35]). Rimbaud: «Je suis réellement d'outre-tombe»([36]). *La provocation suprême est la disparition incompréhensible du provocateur*. Je dis: incompréhensible. Rimbaud s'est échappé, Rimbaud cesse de survivre.

Au plus haut point (imaginaire)

Degré dernier ou degré zéro de la provocation: un écrivain n'écrirait plus à côté ni contre. Il ne cesserait plus d'écrire, ne trouverait pas dans la cessation de son activité le sens de son geste. Il n'écrirait pas non plus des deux côtés à la fois, comme Lautréamont et Maldoror. Il ne mourrait plus, ne s'éliminerait plus avec signification (comme Rimbaud) ou sans signification (comme Isidore), il écrirait sans publicité aucune. Pour lui-même, pour ainsi dire dans son tiroir. Il n'aurait soin d'aucune carrière — et même il serait, socialement, tout autre chose qu'auteur, instituteur, professeur, plombier. Il se terrait invisible sous une tâche. Se camouflerait. Aucune maison d'édition ne voudrait de lui puisqu'il ne chercherait pas à publier l'une quelconque de ses œuvres. Son œuvre complète, il l'accumule, livre à livre, hors bibliothèque, dans une caisse, une armoire, un coffre. Il est assis dessus; cette assurance pour ainsi dire matérielle lui suffit. Être assis sur le monument de ses livres. Se tenir sur le socle qu'ils constituent. Avoir sa tombe ouverte et silencieuse sous soi ou devant soi. Une masse close. Un tabernacle renfermé sur lui-même. Ne laisser filtrer aucun rai de cela. Ne rien montrer. Ne rien dire. Ayant la force de supprimer toute déclaration. Ne pas viser non plus à une gloire posthume, ou à une simple «reconnaissance». Ne vouloir rien, ne viser rien, retenir non le discours, mais son retentissement. Supprimer l'écho. Soustraire à tout entendement possible, tout en soignant de plus en plus dans son expression la clarté intérieure: ce texte sera lumineux. Mais ce sera la pyramide dans lequel le mort le moment venu s'enfouira. Cet écrivain-là ne sera pas un écrivain. Il ne figurera dans aucun fichier. Aucune bibliographie ne le mentionnera. Il sera plus anonyme — inexistant. Ses textes tireront leur nécessité de la certitude de leur mort; leur vérité sera tombale; ils seront définitifs d'être mis sur le bûcher; ils voudront dire précisément ce feu-là; ils ne serviront à aucun autre usage. Cet écrivain-là n'en sera pas un; son existence sera culturellement irrepérable; son travail, irrécupérable. Une position publique ne sera pas la sienne. Un emploi par la lecture de ses ouvrages restera hors de question. Ses ouvrages: ni donnés, ni vendus, ni imprimés non plus, mais uniquement manuscrits, dont le destin pourrait être au mieux d'être, malgré lui, malgré tout, découverts ou retrouvés, comme une jarre au fond d'une fissure de la montagne. Car ses textes sont de pures opérations appliquées à soi de la langue. Ils ne peuvent être que *faits*. Jamais lus. Mais écrits. Irrecommençables donc par un quelconque bénéficiaire. Pourtant, le soupçon de leur existence doit être maintenu. Comme d'un objet désirable, mais inaccessible. Ils doivent faire l'objet de lettres ou par exemple de compte-rendus publiés par l'auteur lui-même, et cela avec un seul but: signaler leur impossibilité, leur radicalité et donc leur inexistence. «Je ne vous écris que par impossible; c'est écrit, mais réservé, hors d'atteinte et hors d'usage!», «Je vous écris comment j'écris mes livres; il n'y a pas de message du livre hormis celui-là même!», «Savoir comment je les ai écrits en les retirant de la circulation, les rendant impraticables, n'est pas le moyen d'apprendre comment les utiliser: il n'y a pas d'usage de mes livres, ils sont, au plus, faisables, et non pas eux en tant que tels, mais eux pour vous, eux comme vous, cela, message et ouvrage, qui vous signifie, hors vous et à vous-même!». Je ne signifie rien, dit cet auteur; d'ailleurs, je ne suis pas un auteur; il n'y a pas de représentation possible de mon activité. Et pour couper court à l'entreprise d'habilitation scolaire et culturelle, je ne publierai pas. Le signe pourtant que je vous adresserai, en direction de moi, mais pointant vers vous, voudra désigner cette ruine-là: le cercle culturel est trop peu grand, la participation culturelle est une erreur fatale ou plutôt une activité socialement trop bien comprise pour être propre. La langue me fourche dès que je parle de cela, car je ne puis qu'utiliser le réseau pour vous dire que le réseau est infâme. La participation par les sens décalcifiés dans l'image (typo ou autre) précipite à rien. Il y a un charme à ce rien. La seule méditation, le seul recentrement qu'est écrire s'inscrit à contre-champ de tout spectacle. (Ainsi, cet écrit non public ne saurait-il être fictif ou donner dans la fiction: il ne ressemble à rien, il fait ou plutôt se fait pure trace, l'image du soc ou du voilier lui convient.) Écrire avance au dedans. La nuit est complète — si même elle remue. Nous ne nous y trouverons pas deux.

NOTES

(1) Voir l'article de Sanguinetti sur le pari des avant-gardes dans *Littérature et Société*, Bruxelles, Éditions de l'Institut de Sociologie, 1967, pp. 11-18.

(2) In *MANA 7* (1987), 127-179.

(3) Même si ce que nous appelons les grands auteurs — de Balzac à Zola — entendent en faire un instrument d'enseignement: il enseigne — leur roman —, oui, mais contre toute attente.

(4) Chez les catholiques et les bien-pensants d'alors.

(5) *Madame Putiphar*. Préface de Jules Claretie, précédée de «*Madame Putiphar*», *roman sadien?* par Béatrice Didier et suivi de «*Les Malheurs du récit*», par Jean-Luc Steinmetz, Deforges, 1972, viii, ix, x.

(6) *Champavert. Les Contes immoraux*, Montbrun, 1947, p. 233.

(7) J.-L. Steinmetz, *Pétrus Borel, un auteur provisoire*, Lille, PULille, 1986, p. 79.

(8) «C'est Écrire qui a voulu et veut l'auteur». *Sans Titre et autres textes*, Vanves, Thot, 1978, p. 16.

(9) Eldon Kaye, *Xavier Forneret, dit «L'Homme noir» (1809-1884)*, Genève, Droz, 1971, p. 9.

(10) *Ibid.*, pp. 48, 11, 50, 15, 60.

(11) *Ibid.*, pp. 77, 135.

(12) *Ibid.*, p. 88.

(13) Cf. *Sans Titre et autres textes*, pp. 161-162.

(14) «Si ça signifiait bien quelque chose, ce ne serait point un rêve», «Sans façon et pour tous, un peu pour les enfants. Moi mauvais, mais, moi». Ceci, en exergue. «Rien» est un titre. (Cf. Xavier Forneret, *Sans titre. Encore un an de sans titre. Par un homme noir BLANC DE VISAGE. Broussailes de pensée. Vapeurs, ni vers, ni prose. Rien, Quelque chose. Et la lune donnait et la rosée tombait. Précédé d'un texte d'André Breton. Introduction, bibliographie par Willy-Paul Romain*, Arcanes, 1952, pp. 150, 81, 133.

(15) *Sans Titres et autres textes*, p. 198.

(16) «Ce qui est dit et fait, on le devine bien» (*Sans Titre. Encore un an de sans titre*, p. 219).

(17) Lettre de Jules Pautet à Monsieur Forneret, homme de lettres, *ibid.*, p. 131.

(18) Cf. *Ibid.*, p. 125.

(19) Élément d'une pièce intitulée «Un en deux» (*Sans titre et autres textes*, p. 216).

(20) Cf. M. Pierssens, *Lautréamont. Éthique à Maldoror*, Lille, PULille, 1984, p. 11.

(21) Les «Poésies» sont le post-scriptum d'une œuvre dont elles se retranchent sans pouvoir l'effacer. *Ibid.*, p. 15.

(22) *Ibid.*, pp. 25, 27, 30, 35 et 56. Bien vu par Pierssens.

(23) Isidore Ducasse, *Œuvres complètes. Texte établi par Maurice Saillet*, Le Livre de Poche, 1963, p. 433.

(24) Cf. Pierssens, *op. cit.*, p. 58.

(25) *Œuvres complètes*, p. 433.

(26) Parole attribuée. Cf. Rimbaud, *Œuvres complètes*. Texte établi et annoté par Rolland de Renéville et Jules Mouquet, Gallimard, Bibliothèque de la Pléiade, 1954, xxv.

(27) *Ibid.*, p. 182.

(28) Paroles attribuées. *Ibid.*, xxii, xxvi.

(29) *Ibid.*, p. 185.

(30) *Ibid.*, p. 182.

(31) *Une Saison en enfer*, p. 246.

(32) Citée in Alain Borer, *Un Sieur Rimbaud se disant négociant*, Lachenal et Ritter, 1983-1984, p. 50.

(33) *Œuvres complètes*, p. 178.

(34) A. Borer, *Rimbaud en Abyssinie*, Seuil, 1984, pp. 95, 93, 104.

(35) *Ibid.*, p. 74.

(36) *Œuvres complètes*, p. 182.

Le récit du portrait au XIXe siècle

Graziella Pagliano
Université de Rome

Dans le cadre d'un discours sur «Statut et fonction de l'écrivain et de la littérature au XIXe», d'un discours donc sur les rapports entre texte et extra-texte, je propose d'examiner des textes littéraires où apparaissent des tableaux peints, surtout des portraits. Mon effort ne vise pas les connaissances d'art figuratif des écrivains ou la technique artistique du personnage peintre, mais je voudrais comprendre la fonction de ces tableaux dans l'univers fictif dessiné par l'écriture. Je pose donc l'équivalence, dans ces cas, entre œuvres littéraires et œuvres figuratives([1]) et j'estime que le récit, par cette sorte de mise en abyme, nous dise quelque chose sur les rapports entre texte et extra-texte, peut-être quelque chose de différent de ce que disent les poétiques officielles([2]), sorte de réflexion et d'auto-connaissance.

Dans tous les textes pris en examen (une douzaine), la peinture semble avoir des propriétés transitives: c'est-à-dire qu'elle exerce une action et selon les règles. Cette action est liée à l'amour, à la mort, à la survie assurée, si la relation du couple est autorisée (par le sentiment d'amour et par l'accord des parents). Dans le cas contraire il y aura la rencontre avec la mort. Mais voyons les textes, en partant de la *Maison du chat-qui-pelote* (1830).

Théodore peint la salle à manger du marchand et le

portrait d'Augustine; la «merveilleuse scène», qui donne naissance à un nouveau genre, sert aux parents retraités à y puiser une espèce de consolation, par la contemplation de «cette image de leur ancienne existence, pour eux si active et si amusante». Le portrait, exigé par la duchesse, est ensuite rendu à l'épouse, tel un talisman, pour obtenir à nouveau l'amour de son mari. Mais Théodore détruit la toile et la jeune femme meurt peu après.

Dans la *Vendetta* (1830), le peintre est une jeune fille qui fait «un croquis à la sepia» de la tête du proscrit, qui lui est apparu «beau comme l'*Endymion* de Girodet. Ensuite, pour l'anniversaire de son mariage, célébré contre la volonté de son père, elle offre à son mari un autoportrait. Après la naissance de l'enfant, il est vendu pour un vil prix mais cet argent, comme celui obtenu par Luigi, qui se vend substitut au service militaire, ne sauvera ni l'enfant ni le couple.

Dans les deux récits, le peintre conquiert l'amour de son modèle, et le manque d'accord avec les parents est le signal de non survie du couple([3]).

Dans *La Bourse* (1832) et dans *Pierre Grassou* (1839) au contraire, les mariages sont décidés avec l'encouragement des parents et la mort ne vient pas les interrompre. En effet, le travail d'Hippolyte est celui de redonner contours et couleurs au portrait du père de la jeune fille, paternité d'ailleurs dont on doute: «Madame, dit-il, encore un peu de temps, et les couleurs de ce pastel auront disparu. Le portrait n'existera plus que dans votre mémoire. Là où vous verrez une figure qui vous est chère, les autres ne pourront plus rien apercevoir. Voulez-vous me permettre de transporter cette ressemblance sur la toile? Elle y sera plus solidement fixée qu'elle ne l'est sur ce papier.»

Pierre Grassou, artiste médiocre qui vend avec succès copies de maîtres, fait le portrait d'une jeune fille et de ses parents, prélude à un mariage de raison non malheureux. La fonction de témoignage du passé de la peinture, mémoire à transmettre dans l'espace du temps — déjà présente dans *La Maison du chat*, dans la *Vendetta*([4]), dans la *Bourse*, est évoquée dans *Pierre Grassou* opposant l'échéance du cycle annuel à la vogue du portrait: «... mois de décembre [...], époque à laquelle les bourgeois de Paris conçoivent périodiquement l'idée burlesque de perpétuer leur figure...», pendant que l'idée de durée apparaît aussi dans la présentation de sa manière de peindre («Inventer en toute chose c'est vouloir mourir à petit feu, copier c'est vivre»).

Le portrait, généralement réservé au XVIIIe aux nobles et aux notables, est défini par les Goncourt un «enchaînement de la race»: «Les morts n'étaient enterrés que jusqu'à la ceinture et il y avait comme des patrons de votre conscience dans ces méchantes toiles, toujours sous vos yeux.» Mais cette fonction apparaît problématique pour les nouvelles couches sociales, et dans les récits qu'on vient de voir, soit par rupture de continuité (*Maison, Vendetta*) soit par effacement des parents (*Bourse*) ou ironie (*Pierre Grassou*), tandis que dans les autres récits elle est absente.

Nous retrouvons, par contre, dans d'autres récits le lien entre désir d'amour et portrait. Par exemple dans les huit chapitres de l'incomplet *Féder* (1839) de Stendhal, ou dans *Honorine* (1843), où le comte contemple la miniature de sa femme, forcée au retour et à la mort ([5]). *L'Atelier* ([6]) de Duranty montre le sentiment éphémère entre Lucie et Jourdan, dont la statue est détruite, tandis que l'œuvre de Mariani précède le succès de l'artiste et le mariage avec son modèle.

Le pouvoir de prévision et d'action magique du portrait est encore montré dans *Son Excellence Eugène Rougon* (1876) où la femme qui causera la ruine du ministre est représentée comme une Diane chasseresse.

Le lien avec la mort se révèle dans les cas d'absence d'autorisation du couple. Le portrait, *analogon* de la personne, précède l'assassinat de Camille: «On acheta une toile, on fit des préparatifs minutieux. Enfin l'artiste se mit à l'œuvre, dans la chambre même des époux [...] Le portrait était ignoble, d'un gris sale, avec des larges plaques violacées [...] et le visage de Camille ressemblait à la face verdâtre d'un noyé.»

Le meurtre exécuté, la toile prend la place de l'homme: «Comme il se tournait, revenant de la fenêtre au lit, il vit Camille dans un coin plein d'ombre, entre la cheminée et l'armoire à glace. La face de sa victime était verdâtre et convulsionnée, telle qu'il l'avait aperçue sur une dalle de la Morgue [...] Thérèse, gagnée par l'épouvante, vint se serrer contre lui. C'est son portrait, murmura-t-elle à voix basse, comme si la figure peinte de son ancien mari eût pu l'entendre [...] le portrait eut un regard si écrasant, si ignoble, si long, que Laurent, après avoir voulu lutter de fixité avec lui, fut vaincu et recula, accablé [...]»

Dans *Thérèse Raquin*, non seulement la relation du couple devient impossible, mais le peintre reproduit dans toutes ses toiles sa victime, sans le vouloir, si bien que son travail de peintre devient aussi impossible.

L'échec du peintre dans son travail et la mort sont posés au centre de quatre textes, où vient aussi en premier plan l'étrange rapport entre tableau et modèle vivant, qui dépend d'ailleurs des deux autres côtés du triangle, peintre-tableau et peintre-modèle.

L'erreur de Sarrasine, selon Barthes, se produit le long de la chaîne sens-art-sexe et le vide du modèle envahit la copie. Si au début de son amour, quand il pense voir la statue animée de Pygmalion et voudrait l'épouser, il «crayonna sa maîtresse dans toutes les poses», quand il découvrira que Zambinella est un être «qui ne peut donner la vie à rien», «il saisit un marteau et le lança sur la statue avec une force si extravagante qu'il la manqua. Il crut avoir détruit ce monument de sa folie, et alors il reprit son épée et la brandit pour tuer le chanteur». Aux cris du chanteur, trois hommes entrent et tuent le sculpteur «de trois coups de stilet»(7).

Ici les esquisses et la sculpture ne capturent pas l'amour de Zambinella et c'est leur auteur qui en meurt. L'effigie devient propriété du cardinal, protecteur de cet être exclu par définition de la reproduction, qui lors de la narration exhale une senteur de mort.

Pour le Frenhofer du *Chef-d'œuvre inconnu* (1837), la toile est si bien l'analogon d'une femme qu'il a avec elle une relation véritable: «... montrer ma créature, mon épouse? déchirer le voile sous lequel j'ai chastement couvert mon bonheur? mais ce serait une horrible prostitution? Voilà dix ans que je vis avec cette femme, elle est à moi, à moi seul, elle m'aime. Ne m'a-t-elle pas souri à chaque coup de pinceau que je lui ai donné? [...] Ce n'est pas une toile, c'est une femme! une femme avec laquelle je pleure, je ris, je cause et pense.»

Et Gillette, voyant le regard de l'amant porté sur un portrait à la Rubens, s'exclamera: «Il ne m'a jamais regardée ainsi!»

Au projet de relation avec une personne vivante se substitue donc la relation avec la toile. Mais elle apparaîtra à la fin comme une «muraille de peinture» (où survit seulement un petit pied charmant), échec de l'art et échec de la relation et de la communication.

Manette Salomon (1867) des Goncourt semble pousser jusqu'à la limite du paradoxe le rapport avec le modèle et le rapport avec la mort. Anatole commence par faire les portraits des morts (ch. XXVIII), mais ensuite travaille directement pour un embaumeur, en colorant membres et visages des cadavres (ch. XXIX). Quant à Manette «elle est persuadée que c'est son corps qui fait le tableau [...] Il y a des femmes qui se voient une immortalité n'importe où, dans le ciel, dans le paradis, dans des enfants, dans le souvenir de quelqu'un... elle, c'est sur la toile!» (ch. LI).

Cette femme, dont Coriolis ne réussit pas à faire un portrait pour substituer celui «en méchant gamin» avec un regard effronté et homicide», œuvre d'un autre peintre, sépare Coriolis de ses amis, le porte vers une peinture commerciale, le détruit comme artiste et comme homme.

Claude Lantier, également, dans l'*Œuvre* (1886), échoue dans son projet d'artiste aussi bien que dans la vie de couple. Quand il efface la tête et le buste d'une figure peinte, la qualité d'*analogon* vivant de l'effigie est claire: «Ce fut un meurtre véritable, un écrasement», après le refus d'un second Salon: «Celle-ci, il ne suffisait pas de la tuer d'un coup de couteau, il fallait l'anéantir». Une statue mime l'étreinte avec son auteur: «Peu à peu la statue s'animait tout entière. Les reins roulaient, la gorge se gonflait dans un grand soupir, entre les bras desserrés. [...] Et lui, du même geste d'amour dont il s'enfiévrait à la caresser de loin, ouvrit les deux bras, au risque d'être tué sous elle [...]

Et elle sembla lui tomber au cou, il la reçut dans son étreinte, serra les bras sur cette grande nudité vierge, qui s'animait comme sous le premier éveil de la chair. Il y entra, la gorge amoureuse s'aplatit contre son épaule, les cuisses vinrent battre les siennes, tandis que la tête, détachée, roulait par terre.»

Cette statue mutilée est une obsession pour Christine le jour même de ses noces («il lui semblait que cette statue de femme mutilée s'asseyait à la table avec eux»), jour où elle s'apercevra d'être définitivement seule. Lantier en effet lui préfère la copie peinte et utilise même son corps pour en prendre chair et couleurs: «Il la tuait à la pose pour embellir l'autre». Déçu par les résultats, il détruit la toile et reproche à sa femme la modification de son corps par le temps et par la maternité: «Voilà qu'elle devenait sa propre rivale, qu'elle ne pouvait plus regarder son ancienne image, sans être mordue au cœur d'une envie mauvaise!»

La révolte de Christine («Mais je suis vivante moi! et elles sont mortes, les femmes que tu aimes... Oh! ne dis pas non, je sais bien que ce sont tes maîtresses, toutes ces femmes peintes [...] elles sont affreuses, elles sont raides et froides comme des cadavres...») ne détourne pas le peintre de son parcours, qui s'achève par le suicide, parcours qui comprend aussi la mort de l'enfant, dont le portrait au Salon ne suscite que de l'horreur ([8]).

Le succès, auprès des institutions et du public, récompense plutôt, comme dans *Pierre Grassou* et dans *Féder*, un médiocre portraitiste: «Leur absence de vie, leur décoration passait pour du style; leur platitude était salué comme une idéalisation [...] il arrangeait les bourgeois qu'il peignait en portiers songeurs, travaillant à les poétiser, tâchait de mettre une lueur de rêverie dans un ancien député du juste milieu et d'alanguir un ventru avec de l'élégance [...] Il semblait y avoir un travail pénible, très mal éclairé, un travail de prison dans ce douloureux dessein» (*Manette Salomon*).

Selon Rheims au XIXe siècle, le portrait change de fonction, devient une forme de communication et un moyen pour dissimuler la personnalité et «gommer ses imperfections»: «... ils ressemblent peu aux personnes dont ils portent le nom, ils sont le portrait fidèle de leurs prétentions, dont ils ne laissent ignorer aucune»([9]). Mais si ces portraits bourgeois représentent une ambition sociale, nous pouvons les interpréter comme «projet à réaliser», selon la fonction «magique» et propitiatoire déjà perçue dans les textes de Balzac, Stendhal, Duranty, Zola, où elle s'appliquait à un projet d'amour et de couple et non à la réalisation d'une identité individuelle.

À une première réflexion, les motifs identifiés dans ces quelques textes (correspondance portrait-liaison d'amour; compétition modèle-toile; apparition de la mort et destruction du tableau) semblent très éloignés de la fonction sociale de l'art déclarée dans les essais du XIXe([10]), centrée sur la moralité et la sociabilité.

Nous reconnaissons par contre un parallèle assez fort avec les thèmes du miroir, du double, du vol de l'ombre. Selon Rank ce thème, d'abord métaphore du rapport corps-âme, indique ensuite le rapport entre la vie et la mort et, dans les cultures modernes exprimerait des états psychiques contradictoires, révélateurs de difficultés([11]). Ces conflits semblent liés surtout à la tentative de refuser son propre passé: le passé en effet, étant en étroite relation avec l'être de l'individu ne peut justement par son éloignement que en provoquer la destruction. Le même refus s'opérerait vers le futur, par ceux qui renoncent aux formes de survivance par le couple et la procréation. Celui qui fuit le rapport avec l'autre, n'accepte pas la dimension du temps et de l'espace biologique, se retrouve en face de l'angoisse de la mort, comme dans le mythe de Narcisse où dans la révolte du Golem et de l'automate([12]).

Les motifs retrouvés dans les textes se disposent donc aisément selon un carré greimasien:

œuvre d'art original	↖ ↗	couple autorisé (= survie sociale)
sujet individuel couple non autorisé mort	↙ ↘	copie et imitation succès artistique

À travers cette sorte de mise en abyme, ces textes non seulement dramatisent les procédés de la science et de la connaissance, grâce au triangle modèle-toile-peintre et aux complexes systèmes d'actions réciproques, mais ils semblent poser en même temps — et en étroite relation — les jalons d'un discours sur la constitution du sujet individuel et collectif, connexe au problème du passé et de l'avenir([13]). Ce discours de l'art semble aussi précéder certaines remarques de Baudrillard relatives au monde contemporain, où l'obsession de la non-mort se réfugie dans les images, qui tuent les référents, et la recherche de certitudes et assurances porte à s'exclure du monde([14]). Mais, cela dit, tout reste encore à préciser.

NOTES

(1) Cette équivalence semble d'ailleurs autorisée par des déclarations de l'époque et par des lectures critiques récentes. Parmi les premières, souvent citées celle de Balzac qui, dans un article publié dans *L'Artiste* de 1837, parlait des lois secrètes par lesquelles littérature, musique et peinture se tiennent, et les «Correspondances» de Baudelaire. Cf. M. Eigeldinger, *Introduction* à Balzac, *Le chef-d'œuvre inconnu, Gambara*, Paris, Garnier-Flammarion, 1981; R.J. Niess, *Zola, Cézanne and Manet, A study of L'œuvre*, Ann Arbor, The University of Michigan Press, 1968 (qui reconnaît dans les problèmes du peintre Lantier ceux de l'écrivain Zola); L. Dällenbach, *Le récit spéculaire, contribution à l'étude de la mise en abyme*, Paris, Seuil, 1977 (qui offre en exemple de démonstration du code proustien les marines d'Elstir dans la *Recherche*). Pour notre sujet, nous avons trouvé utiles: F. Fosca, *De Diderot à Valery. Les écrivains et les arts visuels*, Paris, A. Michel, 1960; O. Bonard, *La peinture dans la création balzacienne*, Genève, Droz, 1969; *Des mots et des couleurs. Études sur le rapport de la littérature et de la peinture (XIXe et XXe siècles)*, dir. P. Bonnefis et P. Reboul, Lille, Presses Univ., 1981. D'autres aspects sont traités par AA.VV., *La littérature et les autres arts*, «Revue de formation et de recherches en littérature», 1979, 4; AA.VV., *Literature and other arts*, Innsbruck 1981 (Actes IX Congrès AILC, 1979); *Literature und die anderen Künste*, «Heft», 1982, 5/6; W. Steiner, *The Colors of Rhetoric, Problems of the Relations between Modern Literature and Painting*, Chicago, The University of Chicago Press, 1982.

(2) Nous avons opéré de la même façon à propos de l'effet de lecture, étudié à l'intérieur de l'univers fictif du texte. Cf. *La finzione del leggere* in *Almeno un libro*, a c. M. Livolsi, Firenze, Nuova Italia, 1986.

(3) Pour les éléments autobiographiques dans *La Maison* et la *Vendetta*, cf. A.-M. Meininger, *Introduction* éd. Pléiade 1978.

(4) «... l'on aurait eu de la peine à reconnaître dans la mère qui allaitait cet enfant malingre l'original de l'admirable portrait, le seul ornement d'une chambre nue.»

(5) O. Bonard met en lumière le fétichisme du portrait dans *Honorine*; les miniatures dans d'autres récits. Fosca parle des douze artistes de la *Comédie*; P. Laubriet, *L'intelligence de l'art chez Balzac*, Paris, Dider, 1961, des qualités de l'artiste. Pour une lecture de *Honorine*, cf. G. Pagliano, *Planimetrie letterarie e ideologiche*, dans *Ideologia e produzione di senso nella società contemporanea*, a c. F. Crespi, Milano, Angeli, 1987. Sur les visages et les effigies cf. T. Yücel, *Figures et messages dans la Comédie humaine*, Paris, 1972; C. Grivel, «L'histoire dans le visage», in *Les sujets de l'écriture* (éd. J. Decolttignies), Lille, 1981.

(6) Son recueil *Pays des arts* (1881) est apparu une source pour certains lieux de *L'Œuvre*.

(7) Sur *Sarrasine* (1830) v. R. Barthes, *S/Z*, Paris, Seuil, 1970.

(8) V. aussi dans *L'Éducation sentimentale* le portrait de l'enfant mort de Rosanette. Sur les clefs et les rapports avec les courants d'art figuratif, cf. H. Mitterand, *Note* dans l'édition de *L'Œuvre*, Paris, Gallimard, Pléiade, 1966, 4° tome des *Rougon-Macquart*, pp. 1335-1405; B. Foucart, *Préface*, E. Zola, *L'Œuvre*, Paris, Gallimard, 1983, pp. 7-25; P. Brady, *L'œuvre d'Émile Zola. Roman sur les arts*, Genève, Droz, 1968; R.J. Niess, *Zola, Cézanne et Manet. A study of L'œuvre*, Ann Arbor, The University of Michigan Press, 1968.

(9) M. Rheims, *L'enfer de la curiosité*, Paris, Albin Michel, 1979, pp. 289-304; cf. aussi E. Castelnuovo, *Il significato del ritratto pittorico nella società, Dal Settecento alla'Avanguardia, Storia d'Italia, I Documenti*, 2, Torino, Einaudi, 1973, pp. 1084-1094.

(10) G. Pagliano, *Les périodiques en sciences sociales*, in *Actes du colloque en sociologie de la littérature*, «Cahiers de l'I.S.S.P.», 1986, 7.

(11) O. Rank, *Don Juan et le double*, trad. fr. Paris, Payot, 1973 (Le double, 1914). Pour une première bibliographie cf. A. Labarrère, *Le thème du double en littérature*, «École des lettres», 1983, 10.

(12) Sur la lecture lacanienne du stade du miroir, (*Écrits*, Paris, Seuil, 1966, pp. 93-100) qui doit être surmontée par la reconnaissance de la différence et la transformation du besoin en désir dans le moment symbolique, cf. L. Dällenbach, *op. cit.*, I, 1; R. Coward-J. Ellis, *Language and Materialism, Developments in Semiology and the Theory of the Subject*, London, Routledge & Kegan, 1977.

(13) Sur le thème du double cf. M. Ron, *L'art du portrait selon James*, «Littérature», 1985, 57. Sur le rapport avec le passé et l'avenir voir nôtre *Anna Banti. Galleria di ritratti*, AA. VV. *Una donna un secolo*, a c. S. Petrignani, Roma, Il ventaglio, 1986, pp. 75-80.

(14) J. Baudrillard, *Société de consommation*, Paris, Denoël, 1970, trad it. Mulino 1976; Id., *L'échange symbolique et la mort*, Paris, Gallimard, 1976, trad. it. Feltrinelli, 1979; cf. P. Bellasi, Introduzione a Id. *Dimenticare Foucault*, Milano, Cappelli, 1977, pp. 1-61; J. Baudrillard, *Au-delà du vrai et du faux, ou le malin génie de l'image*, «Cahiers Int. de sociologie», 1987, janvier-juin, 139-145.

Remarques sur la biographie: le cas de Barrès

Rémy Ponton
Université de Paris XIII

Une analyse sociologique des œuvres est en situation de mobiliser (et parfois de cumuler) deux directions d'analyse. La première porte l'accent sur la concurrence intellectuelle comme condition de mise en œuvre des conduites et des significations. D'où, dans cette perspective l'analyse des effets de domination, la caractérisation des «stratégies» et des «chances de carrière», et la définition d'outils d'analyse tels que «le champ» «système de positions prédéterminées, appelant à la façon des postes d'un marché du travail, des classes d'agents pourvus de propriétés (socialement constituées)»([1]) dans la sociologie de P. Bourdieu, et «l'esprit objectif» dans celle de Sartre. «La littérature n'est pas une plage déserte», écrit Sartre dans l'*Idiot de la famille*, «c'est un secteur de l'esprit objectif, élaboré depuis des millénaires par des spécialistes: la conversion de Flaubert l'entraîne à se faire définir à partir de ses confrères, prédécesseurs et contemporains, comme un défricheur, entre mille, du champ littéraire.» (Il s'agit, sous la plume de Sartre, faut-il l'ajouter, d'une simple image.) «Il aura des modèles, des exemples, des guides, une exis à intérioriser, un apprentissage à faire. Au terme de sa conversion, il se retrouve dehors, au milieu des autres et ce sont les autres qui lui apprennent son statut, même s'il veut les dépasser tous»([2]). Une deuxième direction de recherche, à laquelle on se restreindra dans ce texte en prenant comme support de l'analyse le cas de Barrès, renvoie à ce qu'on peut appeler, par opposition aux objets et aux lieux de l'affrontement intellectuel, les variables explicatives de départ: faits d'appartenance sociale, d'origine géographique, d'éducation qui produisent les dispositions dont les individus sont porteurs et qui contribuent aussi, sous ce rapport, à la détermination de leur activité à venir. On se contentera de caractériser succinctement des données qui ont paru significatives, à la fois comme facteurs d'orientation de l'activité de Barrès et comme expression de catégories de faits pouvant servir de point de départ à des comparaisons méthodiques. Dans cette perspective, cette étude se voudrait une contribution à une approche des biographies non fonctionnaliste, qui serait à même d'analyser les débuts intellectuels sans se référer comme à un donné déjà constitué aux développements biographiques ultérieurs.

Le trait central de la situation de classe de Barrès([3]) réside dans le fait qu'il est issu d'une moyenne bourgeoise inactive, «classe de loisir» à peine formée, de mœurs prudentes, mais déjà définie dans son mode de vie par le fait qu'elle est dispensée des tâches directes de production et d'entretien de son existence matérielle. Le père de Barrès, après avoir fait des études à l'école centrale (qui confère à l'époque un statut de technicien de production) n'exerce pas de profession en rapport avec cette formation mais vit en rentier à Charmes dans les Vosges où il gère sa fortune personnelle et celle que lui a apportée en dot sa femme. Il est parfois signalé comme secrétaire de mairie, mais comme le relève M. Davanture, biographe des années de formation de Barrès([4]), il s'agit d'une simple occupation destinée à meubler ses loisirs. Comme l'est déjà son père, Maurice Barrès est un homme du superflu. La conscience d'une aisance matérielle large et assurée durablement, la non activité professionnelle érigée en style de vie, la «suprématie des loisirs comme moyen d'attirer l'estime» selon la formule de Veblen([5]) sont pour le futur auteur des *Taches d'encre* des évidences premières, des expériences formatrices d'une vision du monde social dont on ne saurait sous-estimer l'importance dans la genèse de l'idéologie du culte du moi. Les conditions des débuts intellectuels jouent dans le sens d'un renforcement de ces déterminations: l'entrée dans la carrière des lettres se réalise sur la base d'un principe décisoire, par rejet d'un large éventail de professions honorables (notariat, médecine, carrières industrielles), effectivement accessibles à Barrès et déjà existantes ou appelées à l'être dans son proche entourage. Cette modalité de l'accès à la vie intellectuelle établit une différence marquée entre Barrès et nombre de ses contemporains pour qui la littérature est une carrière refuge ou une voie de promotion sociale. Elle est un principe de structuration de l'œuvre: il faut y référer la production d'une définition du moi comme disponibilité, libre et durable pouvoir de disposer de soi-même, et le mépris, périodiquement réaffirmé, qui devient une structure productrice des thèmes et des rapports entre personnages, pour la «spécialité», l'«état» (au sens de prendre un état, comme *Jérôme Paturot*, sur lequel ironise Barrès), et tout ce qui ressemble à l'exercice d'une profession.

Une deuxième propriété biographique à valeur explicative forte dans le cas de Barrès, — dont une approche comparative des biographies d'écrivains devrait préciser le degré de généralité — consiste dans l'existence d'un décalage social marqué entre les deux lignées constitutives de la famille de l'écrivain. Le père de Barrès est issu d'une moyenne bourgeoisie déjà ancienne mais modeste: ses ascendants sont des greffiers, des notables de village, son père est un capitaine. Son épouse Claire Barrès, fille d'un industriel a pour groupe de référence une couche sociale beaucoup plus fortunée, et de statut bourgeois assuré. Claire Barrès, note M. Davanture «aimait la musique et chantait agréablement. Elle accompagnait au piano son amie alsacienne Mina, dont la voix était ravissante et qui était une violoniste consommée. Elle se piquait de littérature, lisait ce que les femmes de son temps et de son milieu ne songeaient pas à lire, les philosophes, les économistes, les neurologues [...]. Nul doute qu'en appréciant l'honnêteté des manières de son mari, elle ne se soit sentie supérieure à lui par les dons de l'intelligence et du sentiment» ([6]). Cette différence sociale, cumulée avec le loisir délégataire de l'épouse, a pour conséquence la formation de ce que Sartre dénomme dans l'*Idiot de la famille*, à propos de Stendhal et d'Alfred Le Poittevin (ami de Flaubert et oncle de G. de Maupassant) une famille conjugale ([7]). Dans la famille conjugale (par opposition à la famille «domestique» dans laquelle l'univers professionnel masculin prévaut), la figure de la mère est le principe et le centre du processus de formation des représentations sociales et des valeurs. Comme Stendhal, et parmi ses contemporains Daudet, Loti, Mistral, Barrès est un fils de la mère. Son engagement dans la carrière des lettres enferme une revendication de haut niveau, qui marque une continuité statutaire avec l'histoire de sa famille maternelle. L'élément familial féminin contribue du reste d'une façon active à rendre effective une vocation intellectuelle précocement affirmée. Dans les lettres qu'elle écrit à son fils, alors âgé d'une douzaine d'années, qui vient d'entrer comme interne dans un pensionnat religieux, (elle était jusqu'alors en charge de sa scolarisation), Claire Barrès fait état de ses souhaits que Maurice «se plût au côté littéraire de la vie», déplore que trop d'hommes négligent cet aspect des choses «pour se consacrer exclusivement aux affaires» et se fait une fête de reprendre avec lui leurs discussions d'idées dans sa bibliothèque ([8]). Plus tard, en janvier 1883, c'est grâce au soutien sans failles de sa mère que Barrès obtient de quitter Nancy pour Paris, après son baccalauréat et une année de droit, évitant de la sorte la carrière de notaire auquel le destine son père; c'est grâce à une aide matérielle fournie par sa mère qu'il subsiste pendant les années de ses débuts littéraires; c'est avec une part d'héritage que lui remet par anticipation sa grand-mère maternelle qu'est financée en 1884 l'entreprise des *Taches d'encre* ([9]). Cette revue, dont Barrès est l'unique rédacteur (mai 84-février 85) est un des lieux d'élaboration des thèmes égotistes ultérieurement systématisés dans les trois romans idéologiques du Culte du moi, *Sous l'œil des barbares* (1888), *Un homme libre* (1889) et *Le jardin de Bérénice* (1891).

Sur fond des conditions générales précédemment analysées, l'entreprise de Barrès se développe à l'intérieur d'un cadre intellectuel de référence qui est une autre médiation explicative principale de l'œuvre. Deux orientations intellectuelles principales coexistent sans se neutraliser. La première consiste en un ensemble d'apports philosophiques d'ordre spiritualiste: Malebranche, Caro, Schopenhauer sont des auteurs familiers de Claire et Maurice Barrès; plus tard, en 1885, ce dernier lira Fichte avec passion. Se trouvent accrédités de la sorte la possibilité théorique d'une définition du moi comme ipséité, réalité auto-déterminée, qui est à elle-même le principe de définition de son activité et un idéalisme spirituel prédominant: «Une conscience éclairée, dominant la vie, l'orientant dans le sens [...] de la perfection de l'être intime, voilà ce que Barrès n'avait jamais cessé d'entendre vanter chez lui, dans sa famille, et que sa mère mettait au-dessus de tout»([10]). La seconde orientation analytique, à forte imprégnation positiviste, pose la question du savoir en termes de «conditions (historiques, physiologiques) d'existence» des processus cognitifs et culturels. Elle est représentée dans les lectures des Barrès par Taine, («la source» où Maurice Barrès adolescent, «a puisé les idées qui ont formé sa pensée et ses livres»), Renan, Darwin, Spencer, Ribot («pour lequel Claire Barrès semble avoir une prédilection»)([11]), plus tard Jules Soury, idéologue réactionnaire qui infléchit dans un sens racial les théories historiques de Taine et dont Barrès suit les cours à la fin 1883 à l'École des Hautes Études. En fait est sensible, pour contrebalancer l'idéalisme, l'influence de toute une génération intellectuelle dont Barrès note dans *Les Déracinés* qu'elle a réalisé dans l'ordre explicatif «le passage de l'absolu au relatif»([12]). Cette dualité de l'héritage philosophique de Barrès explique que l'égotisme soit appréhendé à la fois comme un proche horizon d'attente et comme une impossibilité de fait. Déterminé durablement au refus de toute détermination par sa situation de classe, et par tout un versant de sa culture, Barrès ne peut, simultanément, esquiver la question des origines de cette exigence, ce qui ramène sa réflexion, avec une conscience d'échec, à sa propre historicité.

À cette problématique intellectuelle du projet barrésien doivent être référées la présence, dans le Culte du Moi, d'une composante affective de désenchantement et la construction logique de l'œuvre: dans *Sous l'œil des barbares* l'analyse des états intérieurs est précédée, sous le terme de «concordance», d'un bref et prosaïque rappel des conditions «externes». Exemple: «À vingt ans, il sentait comme à dix-huit, mais il était étudiant et à sa table d'hôte (celle des officiers à 100 francs par mois), mangeait mieux qu'au lycée; en outre il pouvait s'isoler» (chapitre troisième, concordance)([13]). *Un homme libre* se présente comme une succession d'expériences spirituelles visant à déplacer les bornes de la finitude sociale. D'où, dans cette perspective, l'appel à des «intercesseurs» (Benjamin Constant, le jeune Sainte-Beuve) qui sont des écrivains appariés (socialement et intellectuellement) jusqu'à un certain point à Barrès, le recours à des lieux (composition de lieux), des œuvres d'art et des techniques spirituelles déjà éprouvées (par exemple *Les exercices spirituels* d'Ignace de Loyola), qui se révèlent des instruments, efficaces dans un premier temps, mais finalement décevants, de désituation sociale et mentale. On le voit, même dans le cas d'auteurs comme Barrès qui sont porteurs d'atouts intellectuels diversifiés et d'une capacité stratégique importante, l'analyse des déterminants objectifs de la biographie et de leur rapport avec les processus inventifs exclut une interprétation idéaliste de l'œuvre. Outre que les propriétés biographiques significatives sont le produit d'une histoire collective, un moment de l'histoire de la bourgeoisie, elles sont appréhendées et intégrées dans une rationalité expressive en fonction d'outils d'analyse qui sont eux-mêmes historiquement situés. L'importance dans ce processus des «variables de départ» appelle deux remarques: en premier lieu doit être avancée l'hypothèse d'une autonomie réelle et durable des intérêts expressifs de Barrès par rapport «aux contraintes du marché» ou à «l'état de la conjoncture». Une démarche explicative qui, sous couvert d'objectivation, ne retiendrait que cette dernière direction d'analyse donnerait nécessairement de l'œuvre de Barrès une interprétation appauvrie. En deuxième lieu peut être formulée l'idée d'une continuité structurelle entre les œuvres de jeunesse de Barrès et la doctrine nationaliste de la Terre et des Morts. Certes de l'une à l'autre manière ou idéologie existe une différence marquée, qui consiste en une déproblématisation de la démarche analytique (déjà perceptible dans le *Jardin de Bérénice*). Les processus historiques incorporés par l'individu et constitutifs de son «moi» — l'ancienneté dans la bourgeoisie, la culture familiale, les traditions lorraines — que l'égotisme analyse comme le substrat d'un impératif logico-éthique irréalisable (une pensée de l'en-soi pour soi) sont caractérisées dans le nationalisme sous un seul rapport, en termes normatifs, comme un «déterminisme organisé, accepté»([14]). Cependant, dans les œuvres de jeunesse comme dans les écrits nationalistes, la philosophie de Barrès est, selon une formule de Z. Sternhell «une philosophie de l'héritier»([15]). La structure interne du travail intellectuel est celle d'un inventaire de l'héritage, une mise en forme affective et idéologique de ce qui est transmis par la bourgeoisie cultivée à certains de ses fils, «imperatores [...], adolescents marqués pour la domination»([16]) et parfois, de diverses façons, contrariés par l'histoire, dont il est question dans *Les déracinés*.

Le rapport de Barrès à l'école, qui devient à partir d'une certaine époque une modalité de son rapport à la petite bourgeoisie, est un dernier aspect de la biographie de l'écrivain dont on s'attachera à caractériser l'incidence sur le processus de l'élaboration thématique. Le rapport au système d'enseignement se constitue chez Barrès sur la base de plusieurs faits marquants de son propre parcours scolaire: placement à onze ans dans un internat religieux et première expérience, très difficilement supportée, de l'hétéronomie; mise en présence et en concurrence, non souhaitée mais jugée nécessaire pour la préparation du baccalauréat, à partir de la classe de seconde au lycée de Nancy, avec des condisciples fils de fonctionnaires et issus d'une petite bourgeoisie récente; discussions familiales sur le sens des études supérieures: Barrès y voit un mode de vie, le point d'appui de la flânerie cultivée qui est une composante du Culte du Moi; son père, une étape d'un processus d'accès à une profession. Ces déterminations se mettent à faire système, et à mobiliser diverses significations associées, au cours d'une période de difficultés aiguës qui suit l'achèvement en 1883 des études de droit. L'entreprise des *Taches d'encre*, dont le tirage est resté confidentiel (malgré les efforts de Claire Barrès qui abonne les amis de la famille) se termine en mars 1885 par une quasi-faillite financière. Barrès est sommé par son père de «prendre une position sociale»; des démarches engagées dans ce sens, auprès du personnel politique radical (en particulier Camille Pelletan) et de la famille de Jules Ferry([17]) se révèlent inopérantes; elles manifestent la vulnérabilité du réseau d'appui de la famille; les contacts de Barrès avec le journalisme politique (il écrit dans *Le Voltaire*, journal de tendance «républicaine» de mai 1886 à avril 1888) confirment l'encombrement des carrières. Cette situation, qui définit l'arrière-plan de l'engagement de Barrès dans le boulangisme (dès fin 1887 et avec netteté en 1888), accrédite chez l'écrivain la conviction d'une perte de générosité de l'histoire, liée à la montée de la «couche sociale nouvelle» dont parlait Gambetta. C'est sur fond de cette expérience, et d'une menace non fictive de déclassement que sera proposée dans *Les déracinés* une interprétation rétrospective du contenu des enseignements suivis, en particulier du kantisme que Barrès perçoit désormais comme une idéologie de la mobilité sociale et du refus de la différence.

Le rapport de Barrès à la petite bourgeoisie ascendante trouve une expression privilégiée dans deux métaphores qui lui sont familières, celle du barbare et celle de l'asthénie. Plus que de simples thèmes, il s'agit d'outils logiques, de catégories d'interprétation du réel qui sont constitutives de l'entendement de l'écrivain.

L'asthénie est une notion récurrente chez Barrès quand il met en scène dans la fiction son propre personnage. Il s'agit, habituellement, d'une forme de déconcentration, d'une perte de fixité d'intention liée à la diversité des intérêts culturels. L'asthénie est associée aussi à des seuils élevés de sensibilité et à l'acuité des sensations qui engendrent scrupules et inhibition de la capacité d'agir. Elle est le produit de la profondeur de la durée et de l'espace stratégique du narrateur, l'expression paradoxale de l'abondance, le schème figuratif de l'idée que les forts patrimoines peuvent produire le déclin et la relégation.

Quand il n'est pas seulement un procédé injurieux, ce qui donne à ce terme une quasi indétermination pratique chez Barrès («barbares», «libres penseurs stupides, chefs de bureau, vétérinaires», ratés «de la littérature, de la médecine, de l'avocasserie»)([18]), le barbare est l'instrument de désignation des nouveaux venus dans la bourgeoisie. Selon une formule de Barrès à propos de Taine, le barbare est un «myope méthodique»([19]). Son intelligence est un décalque appauvri (il y manque la partie hypothético-déductive, proprement spéculative) de «l'esprit positif» saintsimonien. Contrairement à l'égotisme chez qui le rapport au réel est commandé par la référence à un «modèle intérieur», le barbare appréhende la réalité d'une façon analytique, à posteriori, par dénombrement et juxtaposition des parties. Il fait partie de ces «malheureux», évoqués dans *Toute licence sauf contre l'amour*, «qui voient avec leurs yeux, entendent avec leurs oreilles et n'ont aucun tact intérieur»([20]). Dans l'ordre de l'action, le barbare est par excellence l'agent du changement historique; sa philosophie naturelle est l'utilitarisme; ses rapports avec les êtres, les lieux, les mots sont placés sous l'emprise de la recherche d'efficacité, et de rentabilité dans l'ordre de la production des richesses. Les conditions de sa réussite sont créées précisément par l'inachèvement de sa culture, qui s'exprime dans l'énergie grossière qu'il doit à ses origines. Comme l'écrit Barrès à propos de la figure de barbare réalisée par l'ingénieur Martin dans *Le Jardin de Bérénice*: «À chaque minute et de tous aspects, il est l'Adversaire»([21]). Une analyse des développements ultérieurs de l'œuvre de Barrès, qui sortirait du cadre de ce travail, confirmerait la continuité de la dialectique littéraire, et de plus en plus ouvertement politique, entre l'asthénie et la barbarie.

Au terme de cette caractérisation de la biographie de Barrès, on peut tenter de préciser le domaine d'application des deux démarches distinguées en introduction, en rappelant qu'elles ne sont pas exclusives. Une théorie de la concurrence sera appropriée pour l'analyse de la formation des groupes, des écoles littéraires, des associations à visée corporative (société des gens de lettres, Académie Goncourt) et, d'une façon plus large, pour les conduites qui supposent un degré élevé d'intériorisation des règles du jeu et de la légitimité dominante: conformisme par imitation et contre-imitation, conduites inventives qui se développent par référence à des notions déjà constituées comme repères de la différence professionnelle. L'analyse des variables explicatives de départ — situation de classe, mode de vie, modalité des débuts — renvoie à l'idée que l'ordre des rationalités expressives et celui des contraintes ou conditions de leur mise en œuvre ne sont pas nécessairement congruents. Il peut s'agir de causalités qui restent, plus ou moins durablement, extérieures l'une à l'autre. Ce parti explicatif peut fonder une attitude de défiance critique vis-à-vis de la terminologie fonctionnaliste de «l'ajustement», de la «retraduction» des dispositions dans les structures, et de cet artefact explicatif que devient (lorsque n'en est précisé ni le degré ni la nature) «l'autonomie relative». En revanche redevient nécessaire, mais aussi possible, le repérage de conduites intellectuelles complexes, contradictoires, non transparentes à elles-mêmes et de processus paradoxaux qui resteraient autrement inaperçus.

NOTES

(1) P. Bourdieu, «Champ du pouvoir, champ intellectuel et habitus de classe», in *Scolies*, 1, 1971, p. 15.

(2) J.-P. Sartre, *L'idiot de la famille*, Paris, Gallimard, 1971, tome 1, p. 975.

(3) Max Weber définit la situation de classe en terme de «chances d'accès» à des biens et de «situations d'intérêts typiques. Cette approche confère une grande force explicative à la notion de «rapport au possible», ce qui explique qu'on l'ait retenue ici. Cf. M. Weber, *Économie et Société*, Paris, Plon, 1971, pp. 309-313.

(4) M. Davanture, *La jeunesse de Maurice Barrès (1862-1888)*, Paris, H. Champion, 1975, tome 1, p. 40.

(5) T. Veblen, *Théorie de la classe de loisir*, Paris, Gallimard, 1970, p. 56.

(6) M. Davanture, *op. cit.*, tome 1, p. 34.

(7) J.-P. Sartre, *op. cit.*, tome 1, pp. 70, 984, 1021.

(8) M. Davanture, *op. cit.*, tome 1, pp. 85-86.

(9) *Ibid.*, p. 287, et tome II, notes et bibliographie p. 21.

(10) *Ibid.*, tome II, p. 736. Sur les lectures d'auteurs qui accréditent le projet égotiste, *ibid.*, tome I, pp. 58, 112, tome II, pp. 748-764.

(11) *Ibid.*, tome I, p. 146, 184.

(12) M. Barrès, *Les déracinés*, Paris, UGE, 1986, p. 147.

(13) M. Barrès, *Sous l'œil des barbares*, Paris, UGE, 1986, p. 147.

(14) Formule des Cahiers de Barrès, citée par Z. Sternhell, *Maurice Barrès et le nationalisme français*, Paris, A. Colin, 1972, p. 267.

(15) *Ibid.*, p. 301.

(16) *Les déracinés*, p. 53.

(17) M. Davanture, *op. cit.*, tome 1, p. 286 et 307.

(18) Article d'avril 1888 cité par M. Davanture, *op. cit.*, tome 2, p. 752.

(19) Dans un article de 1888, cité par M. Davanture, *ibid.*, p. 855.

(20) Texte repris dans *Du sang, de la volupté et de la mort*, Paris, UGE, 1986, p. 286.

(21) *Le jardin de Bérénice*, Paris, UGE, 1986, p. 296.

Écrire en 1850: *Angélique* de Nerval

Raymond Mahieu
Université d'Anvers

Le hasard de la chronologie fait parfois bien les choses. Quand Balzac meurt, le 18 août 1850, quelques semaines à peine se sont écoulées depuis que la IIe République, dans sa dérive vers l'autoritarisme, a promulgué des lois contraignantes sur la presse, par lesquelles se trouve visée, notamment, la publication de romans-feuilletons. D'un événement à l'autre, du point final mis par la destinée à la plus ambitieuse des entreprises romanesques aux obstacles que dresse le législateur dans une des voies d'expansion du roman, on est en droit de penser qu'il existe un rapport au moins symbolique, et que la clôture forcée de la *Comédie humaine* est comme l'indice d'une autre clôture — et, partant, d'une redistribution des données de la pratique littéraire. En témoignerait aussi — c'est en tout cas ce que l'on essaiera de montrer ici — l'évolution, dans le même temps, de la production de Nerval, que l'on voit passer, symptomatiquement, d'un renoncement à la représentation d'une résistance: en clair, interrompre, en mai 1849, la rédaction du seul véritable roman qu'il ait jamais écrit, *Le Marquis de Fayolle*(1), et commencer à publier en feuilleton dans *Le National*, en automne 1850, *Les Faux-Saulniers*, première version d'*Angélique*(2).

Comme on le sait, la nouvelle, telle qu'on la lit actuellement et telle qu'elle sera interrogée ici, ne trouvera sa forme et son titre définitifs qu'en 1854, en tant que premier récit du recueil des *Filles du Feu*. Dans le feuilleton du *National*, dont l'intitulé complet est *Les Faux-Saulniers, Histoire de l'Abbé de Bucquoy*, elle est encore couplée à la relation des aventures de l'ecclésiastique, par rapport à laquelle un lecteur trop peu attentif pourrait penser qu'elle n'est qu'une sorte de long préambule. Et c'est seulement quand Nerval aura détaché de l'ensemble cette dernière partie pour en faire une des subdivisions des *Illuminés*, en 1852, que la première moitié du texte originel trouvera la pleine autonomie qui lui confère toute sa signification. À la faveur de cette scission bénéfique, les pages qui, moyennant un certain nombre d'amendements, deviendront *Angélique* feront apparaître avec toute l'évidence souhaitable une de leurs propriétés majeures, présente dès le départ mais que l'agencement primitif de la nouvelle occultait quelque peu: celle d'être un texte du manque, thématisant une crise de conscience de nature poétique.

Dans ce récit, qui comme tant d'autres de Nerval combine les formes de la lettre et du compte rendu de voyage ([3]), la trame événementielle principale est constituée par la recherche d'un livre. Obligé de fournir de la copie au directeur du journal qui le rétribue, l'écrivain, à la suite de mesures législatives récentes, se voit contraint à pratiquer le genre de la narration historique: puisque l'amendement Riancey à la loi sur la presse interdit aux journaux (en fait sinon en droit) la publication de «feuilletons-romans» ([4]), il faut désormais écrire «d'une façon historique et non romanesque» ([5]), ce qui suppose le recours à des sources existantes qu'il ne s'agira que de paraphraser agréablement. Au départ, la situation, telle que l'expose la Lettre 1, est simple: l'hypotexte nécessaire, en l'occurence, l'ouvrage retraçant les événements marquants de la vie de l'abbé de Bucquoy, Nerval l'a repéré, et, «pressé de [...] donner un titre» (p. 182), annoncé au directeur du journal et aux lecteurs. Or, ce volume, dont la première apparition n'a absolument rien de problématique, que l'auteur a vu par hasard à la foire de Francfort, qu'il a feuilleté, dont il a contrôlé ultérieurement l'existence dans les bibliographies, dès lors qu'il est choisi et désigné comme point de départ de l'acte d'écriture, va peu à peu se révéler introuvable. Toute l'aventure qui organise la continuité des douze lettres dont se compose *Angélique* est là, dans une absence de moins en moins concevable faisant suite à une présence première irrécusable, dans un désordre majeur perturbant l'ordre rassurant initialement défini — jusqu'à ce que, refaisant surface *in extremis* (à la fin de la Lettre 12), le volume si longtemps recherché permette un retour à la stabilité. La chasse au livre terminée, la narration s'achève aussitôt, comme si l'objet de la quête, une fois conquis, perdait tout intérêt: au lecteur de 1854 curieux des agissements de l'abbé, Nerval propose seulement, comme par acquit de conscience, de se reporter aux *Illuminés*, démontrant par là que le parcours qui s'est bouclé n'avait de signification qu'en tant que poursuite toujours relancée ([6]).

Il y a plus. Cette poursuite, dans la mesure où elle se heurte à des obstacles imprévisibles, a une dimension énigmatique évidente, et fait du héros-narrateur une manière d'enquêteur aux prises avec des problèmes de plus en plus ardus. Le premier qu'il affronte peut se formuler de façon assez simple: comment entrer en possession, aussi commodément que possible, d'un objet dont on sait, d'expérience, qu'il est accessible à quiconque? Mais, à mesure que les tentatives d'appropriation connaissent des échecs répétés, il semblerait que la question se transforme, se chargeant d'irrationnel; progressivement, c'est l'accessibilité même de l'ouvrage recherché qui paraît mise en cause: le livre est-il conservé, en un lieu donné, dans des conditions telles qu'on puisse au moins le consulter? Ce qui vient dès lors marquer la quête-enquête, c'est l'ombre d'une sorte d'interdit, nécessairement mystérieux. Dès la Lettre 3, on voit ainsi Nerval renoncer à rechercher le volume à la bibliothèque de l'Arsenal, où il aurait pourtant chance de le trouver, sans motivations autres que fantasmatiques: l'Arsenal est un lieu hanté de fantômes, auquel s'attachent de surcroît de funèbres souvenirs, et qu'il faut donc éviter ([7]). Cette proscription secrète de la recherche, on la retrouverait, comme le refoulé de considérations rationalisantes, dans les plaintes du narrateur sur la mauvaise gestion des bibliothèques publiques («Tout (en) disparaît peu à peu» ([8])) ou dans le soupçon qu'il fait peser sur tel libraire d'exercer une censure dans sa pratique commerciale ([9]). À la limite de cette logique de la forclusion, ce qui s'insinue, c'est la tentation de mettre en doute la survivance même de l'objet matérialisé au début de la nouvelle: y inciteraient, par exemple, tous les ouvrages concurrents que l'on voit surgir, rattachés d'une manière ou d'une autre à l'insaisissable abbé, et qui finiraient, pour un peu, par faire croire que, contrairement à ces doubles insatisfaisants mais irréfutables, le livre authentique n'appartient plus au monde du réel... ([10]) Quoi qu'il en soit, sans même qu'il se laisse entraîner si loin, le lecteur n'échappe pas au sentiment que la représentation de la recherche en rajoute sur les impasses auxquelles celle-ci conduit, que l'imaginaire fait cristalliser autour de la résistance obstinée qui se figure ici des résistances d'une autre nature et d'une autre importance — sur lesquelles il faudra revenir.

Cependant, la dérobade permanente du récit poursuivi — qui s'accorde admirablement à l'évanescence du personnage auquel il est consacré, perpétuel «fugitif» ([11]) — donne lieu à des compensations. D'être introuvable, le livre en devient occasion de trouvailles. Disponible, l'histoire de l'abbé de Bucquoy n'aurait rien suscité de plus qu'une opération linéaire de translation de contenu d'un discours à un autre — travail que Nerval qualifie, en s'affligeant des limites où il l'enferme, d'«analyse pure et simple» (p. 193) ou encore de restitution «du récit matériellement vrai» ([12]). Par son absence, en revanche, le récit requis comme hypotexte conduit le scripteur, dans l'attente de son hypothétique réapparition, à convoquer dans sa narration, au titre de substituts provisoires, d'autres énoncés, rencontrés au hasard de ses vaines recherches et des errances qu'elles provoquent. Et ceux-ci, à proportion même du décentrement qui les affecte, déterminent la formation dans la nouvelle d'un espace discursif varié et complexe, infiniment plus producteur de sens que le système sommaire que faisait attendre le programme d'écriture «historique» annoncé dans la Lettre.

Pour une part, ces textes inattendus s'incorporent au récit nervalien par le biais d'un procès métonymique: faute de pouvoir saisir l'objet qu'elle se destinait, l'écriture se dérive sur des objets qui, d'une manière quelconque, lui sont contigus. C'est ainsi que la Lettre 2 rapporte un «drame domestique», l'affaire Le Pileur, que rien, à priori, ne relie à l'abbé de Bucquoy, sinon le fait que des rapports de police relatifs à l'une et à l'autre se trouvent réunis dans un même volume de la Bibliothèque Nationale. L'intéressant est que cette histoire, dont l'émergence ne semble due qu'à une situation de proximité purement aléatoire, puisse faire figure, et particulièrement dans la position encore liminaire qu'elle occupe, de mode d'emploi pour le lecteur de la nouvelle. Le dossier Le Pileur offre en effet cette propriété curieuse de fournir un récit policier auquel manque ce qui en fait normalement l'intérêt, à savoir la recherche d'un coupable; celui-ci est connu d'entrée de jeu, et si énigme il y a, malgré tout, elle réside non dans un problème d'identification, mais dans le fait que la justice échoue à poursuivre efficacement le coupable d'un crime dont la matérialité ne peut être établie. En d'autres mots, au rebours du modèle policier usuel qui se construit sur la relation du plein d'un acte et du vide d'un nom, l'affaire Le Pileur oppose au plein du nom le vide de l'acte. Et c'est de cette inversion remarquable que l'apparente digression qui la rapporte tire sa valeur métatextuelle, en tant qu'elle reproduit, ou plutôt préfigure, le statut paradoxal qui est réservé à l'abbé de Bucquoy dans la nouvelle: personnage principal, amplement désigné comme tel, d'un récit qui ne produit de signification qu'à ne rien signifier de lui, qui se nourrit de son absence.

C'est ici le lieu de se rappeler que cet acteur sans rôle n'est pas non plus un héros éponyme, et de constater que c'est encore une fois par l'effet d'une opération métonymique que cette responsabilité échoit à sa parente Angélique. Ici, c'est la consultation d'archives familiales qui vaut au narrateur, au début de la Lettre 4, ce qu'il appelle lui-même «une trouvaille des plus heureuses» (p. 199): le manuscrit autographe où la grand-tante de l'abbé, Angélique de Longueval, raconte son histoire. L'on comprend aisément le soulagement qu'éprouve l'écrivain, condamné par l'amendement Riancey à se placer sous la garantie d'un document archivé, à avoir pu mettre la main sur un hypotexte à la fois conforme aux prescriptions légales[13] et convertible en un récit de quelque étendue. Il n'en reste pas moins que cette euphorie ne doit pas occulter toute l'ampleur du déplacement que cette solution de rechange implique. Réserve faite du lien de parenté des deux héros, qui a assuré la fonction médiatrice indispensable, et aussi de leur commune tendance à s'affranchir de la domination des pouvoirs constitués[14], les divergences sont nombreuses entre le récit originellement désigné comme support de l'écriture «historique» et celui qui lui est substitué: ils renvoient à des époques différentes (deux générations séparent la jeune fille et l'abbé), et rapportent des aventures différentes (la première parcourt l'Europe par fidélité à l'homme qu'elle aime, le second s'ingénie surtout à s'échapper des geôles où sa malchance l'a précipité). Surtout, le transfert d'un ecclésiastique, fût-il aussi remuant que Bucquoy, à une amoureuse modifie le rapport du scripteur — et du lecteur — au protagoniste du récit: Nerval se serait-il «monté la tête» à propos de l'abbé aussi facilement qu'«à propos de cette belle Angélique de Longueval» (p. 235)? Au total, le report imposé à toutes les apparences d'une opération bénéficiaire pour le narrateur. Sa nouvelle, à présent, dispose d'un noyau textuel[15] non seulement irréprochable, mais aussi, et surtout, plus à même que celui qui était prévu d'impulser l'activité de l'imaginaire.

Du coup, la métaphore s'engouffre dans la brèche ouverte par la métonymie. Et d'abord par le jeu d'une pratique intertextuelle jusqu'alors bridée: à la Lettre 7, les conflits familiaux vécus par Angélique mobilisent d'anciennes chansons du Valois d'où elle est originaire, et qui forment comme un contrepoint aux événements qu'elle traverse[16]; mais dès la Lettre, c'est aux errances valoisiennes du narrateur lui-même, parti sur les traces de la demoiselle de Longueval, que viennent déjà faire écho les vieux airs du pays[17]. Il serait hors de propos d'ajouter ici un commentaire à ceux, si abondants, que la nébuleuse ainsi constituée a suscités. En revanche — quittant à cette occasion le champ spécifique de l'intertextualité — il y aura peut-être profit à s'aviser que, tel que le présente la nouvelle, l'itinéraire d'Angélique, très dissemblable de celui de l'abbé qu'elle remplace, se retrouve étrangement dans celui qu'accomplit le narrateur. Issus de la même terre, l'une et l'autre suivent une longue trajectoire circulaire qui les ramène à leur point de départ. Pour l'une comme pour l'autre, ce voyage, imposé par l'exigence d'une fidélité, est l'occasion de tribulations diverses où ils font continûment l'expérience de la désorientation et de la précarité: tout comme Angélique est ballottée par les tempêtes, Gérard s'égare sur les chemins du Valois([18]). Et sur l'une comme sur l'autre pèse la menace sociale d'une dépossession de l'identité: les tracas que vaut à Angélique l'oubli d'un passeport anticipent la mésaventure du narrateur, incapable de produire un semblable document devant le commissaire de police de Senlis([19]). Bref, le texte-substitut, devenu générateur, se prête à un traitement qui le pose en métaphore possible d'un réel que l'écriture «historique» excluait en principe de l'énonciation: celui de l'écrivain — tel que le définit non seulement son histoire personnelle, mais aussi le rapport qu'il a à l'Histoire([20]).

Pour prendre toute la mesure du gain de signification que provoque le mouvement de transfert compensatoire propre à la nouvelle, il suffit de lui imaginer une variante, déjà suggérée plus haut: à la foire de Francfort, Nerval, mieux en fonds ou moins économe, n'hésite pas à acquérir le volume consacré à l'abbé de Bucquoy; rentré à Paris, il livre au *National* une «analyse» de l'ouvrage parfaitement épurée de toute contamination romanesque, etc. Autant dire que rien ne se passe, à cela près que la littérature risque de ne pas s'en remettre... Mais fort heureusement, l'histoire de l'abbé a disparu — hasard objectif ou fiction ingénieuse, peu nous chaut([21]) — et l'écrivain, du coup, se trouve en état de textualiser dans le récit né de cet effacement une double exigence de l'écriture, dont sa situation présente fait éprouver toute l'importance. La première est que le réel ne peut se dire que moyennant un recours à des textes pré-existants; la seconde, non moins impérative, est que ce recours suppose que soit ménagé à l'imaginaire un espace de *jeu* où puisse s'accomplir l'expansion de la signification.

La nécessaire immersion de l'écriture dans l'écrit, Nerval la présente d'abord, dans *Angélique*, en négatif: c'est, caricaturale, la scription a-romanesque, réduplication mécanique et stérile d'archives qu'il ne faut surtout pas «mettre en scène»([22]). En positif, le thème envahit la nouvelle, autant dans son axe syntagmatique que dans son organisation paradigmatique. Dans la linéarité du récit, il s'actualise par les reports successifs de texte-support à texte-support qu'effectue le narrateur, dérivant de l'histoire de l'abbé au manuscrit d'Angélique et de celui-ci (symptomatiquement incomplet) aux notes de son cousin, le moine Goussencourt([23]). D'autre part, la quête racontée donne lieu à une remarquable efflorescence paradigmatique, où le motif de la bibliothèque, lieu d'accumulation et de restitution (d'ailleurs souvent problématique) de l'écrit, occupe une place prépondérante([24]). Douterait-on encore de l'évidence avec laquelle le discours qui se constitue reconnaît ici le tribut qu'il doit aux discours déjà constitués, que l'avant-dernière page de la nouvelle, pourvue du significatif intertitre de «Réflexions», dissiperait toute hésitation:

«Et puis...» (C'est ainsi que Diderot commençait un conte, me dira-t-on.)

— Allez toujours!

— Vous avez imité Diderot lui-même.

— Qui avait imité Sterne...

— Lequel avait imité Swift» (etc.) (p. 259).

Régression tendanciellement infinie, qui rappelle admirablement qu'on n'écrit jamais que dans la marge d'un écrit antérieur.

Encore faut-il que cette marge existe. Quand le narrateur, à la fin de la douzième et dernière lettre, décrit l'exemplaire de l'*Histoire de l'abbé de Bucquoy* qu'il vient enfin d'acquérir, il note (désenchanté ?) que le livre «vaudrait beaucoup plus» que la somme qu'il l'a payé «s'il n'était cruellement rogné» (p. 260). On proposerait volontiers de voir dans cette mutilation l'emblématisation d'un manque essentiel — par quoi s'expliquerait au demeurant le surprenant désintérêt que montre dès ce moment l'écrivain pour l'ouvrage si longtemps pourchassé. La disparition des marges, qui exclut la réappropriation productrice qu'est la lecture-réécriture, ne serait-elle pas, au premier chef, la menace qui pèse sur la littérature? Il faut ici observer que si l'objet-livre, motif abondamment exploité dans *Angélique*, s'y présente régulièrement sous un éclairage sombre (dans les bibliothèques, par exemple, il est exposé à toutes sortes de périls, allant de l'incendie aux aberrations de cotation, sans oublier, bien entendu, l'activité des rongeurs! ([25])), le danger qui le guette le plus constamment est celui de n'être pas lu, et, partant, de ne pouvoir générer aucune écriture: on le vérifie aussi bien dans tel épisode situé à la Bibliothèque Nationale (dont un conservateur fait remarquer qu'on ne peut «réparer les erreurs (de classement) qu'à mesure que le public fait la demande des ouvrages»([26])) que dans les réflexions ironiques de la Lettre 12 sur les bibliophiles, qui ne lisent pas les livres qu'ils possèdent, «de crainte de les fatiguer» (p. 254), légitimant ainsi «une de ces analyses tristes de la folie humaine, qui n'ont été traitées gaiement que par Erasme» (p. 255).

On pourra ainsi mieux cerner la fonction ambiguë qu'exerce dans la nouvelle l'*Histoire de l'Abbé de Bucquoy*, en réinterrogeant l'inquiétude qu'y provoque dans sa fuite perpétuelle l'«insaisissable moucheron issu de l'amendement Riancey»([27]). S'il est vrai que ce livre, en tant que toujours manquant, peut alimenter une thématique alarmante de la perte de l'écrit, il est nécessaire aussi de constater que, à un autre niveau, plus fondamental, le fantasme d'interdiction que cette défaillance éveille chez le narrateur correspond, d'une certaine manière, à une conduite de sauvegarde. Donné d'entrée, le texte-caution se serait révélé texte-prison, enfermant étroitement l'écrivain dans un rôle de simple restitution. Soustrait, il détermine la création d'un espace interstitiel, d'un lieu de disponibilité qui sera pour le manuscrit d'Angélique de Longueval l'immense marge nécessaire à sa mobilisation dans un projet visant à produire un sens neuf. Ainsi, les fantômes de l'Arsenal, loin de devoir passer pour les émissaires redoutables d'une instance de censure, feraient figure d'ombres bienveillantes, détournant Nerval d'un danger confusément perçu. Pour le dire autrement, la vraie «terreur» celle-là même, «inexprimable» (p. 181), où le narrateur de la première Lettre trouve la littérature à son retour d'Allemagne, ne doit rien, dans l'économie de la nouvelle, à de mystérieuses forces condamnant l'écrivain à errer dans le vide, mais est inspirée par un pouvoir parfaitement visible, décidé à réduire toute vacuité dans l'ordre de l'écriture, à lui imposer un système du plein, défini une fois pour toutes, où toute énonciation ne sera que répétition d'un déjà dit. L'histoire, dans cette perspective, sera pour les détenteurs de l'autorité la forme recommandable par excellence, parole déjà saturée de sens avant même que de s'être proférée; à l'inverse, le roman (y inclus le roman historique), qui n'accueille les discours préformés que de façon oblique, et pour les subordonner à son jeu propre, représentera le contre-modèle absolu — dont Nerval (et particulièrement dans la première vision de la nouvelle, *Les Faux Saulniers* de 1850) évoque la prohibition de manière quasi obsessionnelle([28]).

Et pourtant, l'écrivain qu'il est, nous ne le tenons pas, et il ne se tient pas lui-même, pour un romancier. Il n'empêche: l'inquiétude que ressent une corporation à laquelle il n'appartient pas, il la partage.

> Moi-même, qui ne suis pas un romancier, je tremblais en songeant à cette interprétation vague, qu'il serait possible de donner à ces deux mots bizarrement accouplés: feuilleton-roman [...] (p. 182).

C'est sans doute que, en 1850, la question du roman — plus précisément, des potentialités qu'il recèle, dont la répression qu'il subit démontre l'ampleur — est perçue dans le champ littéraire comme centrale, y compris par ceux qui, comme Nerval, n'en font pas leur genre d'élection: peut-être parce que cette forme d'écriture, qui plus qu'une autre amène le réel et l'imaginaire à se compromettre réciproquement, apparaît comme le lieu où la liberté de l'invention se joue avec le plus d'évidence. Si le roman dit le vrai ou le faux, Nerval ne le sait vraisemblablement pas plus, en ces années cinquante, que ne le savait Stendhal vingt ans plus tôt: témoin telles apories exposées dans les *Nuits d'Octobre* de 1852, qui n'ont rien à envier à celles de *Rouge et Noir*([29]). Mais le problème n'est pas là. Si cet écrivain qui par ailleurs se revendique avant tout comme un poète([30]) se met à cette époque à s'intéresser à l'écriture romanesque au point, d'abord, de s'y essayer avec *Le Marquis de Fayolle* (quitte à ne pas venir au bout de sa tentative), puis d'en faire un des thèmes dominants d'*Angélique*, c'est qu'il pressent, à tout le moins, que la vie ou la mort du roman, véridique ou menteur, engagent directement le sort de la littérature. Quant à définir positivement les voies que doit ou devra emprunter ce genre dont, parant au plus pressé, il a surtout veillé à défendre l'existence, c'est évidemment une autre question, à laquelle il ne répond pas — parce qu'en ce temps de crise où la persécution externe se redouble en une interrogation interne, il n'existe pas encore de réponse possible.

NOTES

(1) Bien entendu, il y a une justification biographique à cette interruption: la maladie et l'internement de Nerval (voir la présentation du *Marquis de Fayolle*, dans Gérard de Nerval, *Œuvres*, t. I, éd. Béguin-Richer, Gallimard, Pléiade, 1952, p. 1207). Mais une explication de ce type n'éclaire rien, fondamentalement; et n'exclut pas, en tout état de cause, l'effet d'une contrainte esthétique.

(2) Pour des détails sur les avatars du récit, voir la présentation d'*Angélique* dans Nerval, *Œuvres*, t. I, p. 1145.

(3) Sur l'usage que fait Nerval de ce type d'écriture, cf. G. Malandain, *Nerval ou l'incendie du théâtre*, Corti, 1986, p. 31 et *passim*.

(4) L'amendement Riancey (juillet 1850) frappait d'un droit de timbre d'un centime chaque exemplaire d'un journal publiant un roman-feuilleton. Cf. G. Malandain, *op. cit.*, p. 59, n. 2.

(5) *Angélique*, dans Nerval, *Œuvres*, t. I, p. 182. Dans la suite, toute indication de pagination portée sans plus dans le corps du texte ou en note renverra à cette édition.

(6) Cf. M. Jeanneret (*La lettre perdue. Écriture et folie dans l'œuvre de Nerval*, Flammarion, 1978), qui voit dans «le livre manquant [...] un centre [...] autour duquel s'organiserait une histoire» (p. 61). Le contexte de cette formule est cependant mal compatible avec la suite de notre propos, puisque M. Jeanneret considère qu'en raison de ce manque «c'est le contact au réel, la chance d'une démarche transitive qui se perdent» (*ibid.*).

Par ailleurs, on notera que la situation était moins tranchée, et donc moins éclairante, pour le lecteur de 1850, qui n'avait qu'à attendre les numéros suivants du *National* pour voir satisfaite son éventuelle curiosité. Reste que, même dans ce premier agencement, un effet de fermeture est lisible à cet endroit du feuilleton.

(7) Voir pp. 195-96, pour le fantôme; et pp. 196-97, pour les «tristes souvenirs», qui évoquent Nodier.

(8) Lettre 5, p. 206. Dans la première Lettre déjà, le narrateur déplore les pertes que cause à la Bibliothèque Nationale une politique trop laxiste de communication des livres.

(9) Voir la démarche du narrateur auprès du libraire Toulouse, Lettre 12, p. 253.

(10) Voir, pour les livres concurrents, les Lettres 2 (p. 187), 3 (p. 197) et 10 (p. 236).

(11) Cette conjonction est indiquée par le narrateur lui-même à la fin de la première Lettre (p. 186).

(12) Voir p. 215. Poussé à l'extrême, cette forme d'écriture devient, carrément, simple copie. C'est en tout cas ce que suggère le début

de la Lettre 3: «Si je ne sais faire de l'histoire, j'imprimerai le livre tel qu'il est!» (p. 195).

(13) Le texte de 1850 est ici tout à fait explicite: «Les Archives possèdent sur cette famille une histoire charmante d'amour que je puis vous adresser sans crainte — puisqu'elle est complètement historique» (p. 1148, n. 39). [C'est nous qui soulignons.]

(14) Cf. G. Malandain, *op. cit.*, p. 68 («l'histoire de Bucquoy est celle d'une rébellion contre l'arbitraire») et p. 73 (Angélique comme représentante d'«un refus de la loi établie»).

(15) Le terme se légitime pleinement, puisque les lettres consacrées à Angélique (4 à 9) occupent exactement la partie centrale de la nouvelle.

(16) Voir les pp. 215 à 217.

(17) P. 211. Voir aussi les Lettres 10 (p. 240) et 11 (p. 251).

(18) Voir respectivement les Lettres 7 (pp. 222-23) et 11 (pp. 250-51).

(19) Pour l'épisode de Senlis, voir la Lettre 5 (pp. 208-209). L'affaire du passeport manquant, dans l'histoire d'Angélique, est rapportée dans la Lettre 8 (p. 230). On se souviendra aussi de l'usurpation d'identité dont Angélique est la victime et de sa disparition dans la généalogie des Longueval (Lettre 9, p. 232 et p. 234). Sur la question des identités incertaines dans *Angélique*, cf. B. Tristmans, *Figurations de l'instable. Les métamorphoses du Valois dans l'œuvre narrative de Nerval*, thèse inédite, Université d'Anvers, 1985, pp. 110 à 133.

Le rapprochement proposé ici a déjà été fait, assurément. Voir par exemple G. Malandain, *op. cit.* (p. 71), qui différencie du reste l'errance de la jeune femme de celle de l'écrivain, dans la mesure où le voyage de ce dernier «est retour au pays alors que celui d'Angélique est fuite et hasard». Mais Angélique elle aussi revient au pays. Et est-il si sûr, par ailleurs, que Nerval se retrouve pleinement dans son rapatriement?

(20) Cf. G. Malandain, *op. cit.*, p. 58: «... le je (de Nerval) se situe à la fois comme échantillon représentatif de tout le groupe social, et comme écrivain».

(21) La question de la nature authentique ou non de la chasse au livre menée par Nerval est bien sûr ici sans pertinence aucune.

(22) Lettre 2, p. 193. Ici encore, le texte de 1850 était plus insistant, même dans sa deuxième partie. Voir ce passage supprimé dans *Les Illuminés*: l'auteur s'inquiète de ce «que des personnes mal disposées pourraient lui contester le droit — toujours d'après une explication étroite de l'amendement Riancey — le droit de *mettre en scène* et même en dialogues certaines parties de sa narration, dont toutefois les faits généraux ne peuvent être contestés» (Gérard de Nerval, *Œuvres*, t. II, éd. Béguin-Richer, Gallimard, Pléiade, 1978, p. 1523).

(23) C'est à partir de ce document qu'est rédigée la Lettre 9. La lacune du manuscrit d'Angélique nous paraît particulièrement intéres-

sante en ce qu'elle ajoute une sorte de point de fuite intérieur à un texte déjà cerné, extérieurement, par le vide.

(24) Il en est question aux Lettres 1, 2, 3, 4, 5, 10 et 12.

(25) Pour les incendies, voir par exemple les Lettres 1 (pp. 185-86) et 10 (p. 237). Pour les erreurs de rangement, les Lettres 1 (p. 184) et 2 (p. 187). Quant aux rongeurs, voir le passage sur la «souris d'Athènes» (Lettre 3, p. 195); tout permet de penser que les livres ainsi attaqués le sont d'abord par la tranche — soit la marge...

(26) Lettre 1, p. 184. La réflexion revient à dire qu'un texte non réclamé est perdu, lettre morte. Comme contre-épreuve, on pourrait songer à l'anecdote du bibliophile s'inquiétant, durant les journées de février 1848, du sort du *Perceforest*, menacé par les incendiaires (Lettre 10, pp. 237 à 239): la préservation de l'ouvrage n'est-elle pas à relier au fait qu'un de ses volumes, justement, avait été emprunté?

(27) La formule — heureuse — est attribuée à un lecteur belge du *National*, cité par Nerval (Lettre 10, p. 236); mais il se trouve que la phrase a été déformée par l'écrivain, à qui en revient dès lors le mérite. Voir *Les Faux Saulniers* de 1850, p. 447.

(28) Les coupures que Nerval a effectuées sur ce point dans la version de 1854 sont nombreuses: pour la seule partie des *Faux Saulniers* correspondant à *Angélique*, on compte une dizaine de passages supprimés où il est fait allusion plus ou moins directement à la proscription du roman. Voir «Fragments des *Faux Saulniers*», pp. 431 à 450, et aussi notes 13 et 22. Il est permis de penser que les insistances du texte de 1850 compensent en quelque sorte ce que sa structure a de moins démonstratif.

(29) Ainsi, p. 100: «... le roman rendra-t-il jamais l'effet des combinaisons bizarres de la vie? Vous inventez l'homme, — ne sachant pas l'observer.» Mais, plus loin, le narrateur paraît donner raison à un critique qui préfère la fiction à la réalité: «Or, le vrai, c'est le faux, — du moins en art et en poésie. Quoi de plus faux [...] que les romans?...» (p. 129). Pour les contradictions stendhaliennes, nous renvoyons à la parenthèse bien connue de la deuxième partie de *Rouge et Noir* (chap. 19).

(30) Voir l'introduction de Nerval aux *Filles du Feu*: «[...] la dernière folie qui me restera probablement, ce sera de me croire poëte [...]» (p. 179).

L'imaginaire du passé: un problème fin de siècle

Jacques Leenhardt
E.H.E.S.S., Paris

Notre siècle a développé sa brillante litanie de révolutions politiques, artistiques, morales et scientifiques sous le signe d'Apollon. L'esprit d'analyse, le Nombre d'Or et la géométrie, le fonctionnalisme et l'efficacité pragmatique s'appliquant à la conquête du monde, tout s'est passé comme si le rêve d'une *mathesis universalis*, la prophétie de Pythagore, avait enfin rencontré sa réalisation.

Et pourtant l'art, dans le même temps où son mouvement l'entraînait vers la rationalité des formes et des fonctions, entreprenait un chemin inverse. Son intérêt le porta alors vers les arts dit «primitifs», les fétiches et les objets des cultes animistes. Il s'ouvrit ainsi à lui-même la porte de ce que Breton et les surréalistes nommèrent rapidement le *retour du refoulé*. Ce fut, dans le domaine de l'art et de la littérature, contre la temporalité linéaire du progrès, le recours au passé et à ses images; ce fut, au plan politique et culturel l'abstraction de la délégation de pouvoir parlementariste, la recherche d'une fusion du peuple dans le creuset des mythes; ce fut enfin le même et l'autre de la raison rationaliste.

Ainsi l'art, la philosophie et la société avançaient sur deux pieds, mais qui ne suivaient pas le même chemin et, tandis que l'un prenait à son compte les derniers développements de la science, l'autre remontait à la magie.

Je voudrais examiner comment ce qu'il est convenu d'appeler notre modernité esthétique s'est effectivement bâtie sur cette contradiction.

La première remarque à faire s'inspire du constat posé à l'instant: ce n'est pas l'art seul qui est concerné, mais l'ensemble des sphères de la vie sociale et culturelle. S'il y a, comme tout le monde le reconnaît, une rupture dans le champ esthétique, celle-ci est simplement contemporaine de ce qui se passe dans d'autres domaines, de telle sorte que la question de l'antériorité de l'une sur l'autre de ces manifestations est sans objet. Je traiterai ici de façon globale des caractéristiques communes aux différents champs de la pratique culturelle et sociale.

En 1881, dans son livre consacré à sa découverte de Troie, *Ilios*, qui est aussi son autobiographie, Heinrich Schliemann commence par cette confession:

> Ce n'est pas la vanité qui me pousse à placer l'histoire de ma vie en tête de cet ouvrage; je désire seulement montrer comment le travail de toute ma vie a été déterminé par les impressions de mon enfance, comment il n'a fait qu'en découler logiquement. Le pic et la pelle qui ont exhumé les ruines de Troie et les tombes royales de Mycène se forgeaient et s'aiguisaient déjà dans ce petit village d'Allemagne où s'écoulèrent huit des premières années de ma jeunesse.

Deux thèmes, typiques de l'époque, sont ici enchevêtrés: le premier, qui impressionna si fortement Freud, relie un souvenir et des désirs d'enfance à des réalisations et des sublimations de l'âge adulte. L'autre met en perspective, sur un plan plus vaste, l'Allemagne qui fait naître des rêves dans la tête de ses enfants et la lointaine Mycène.

Ce que Schliemann rend manifeste en nous contant son histoire personnelle, c'est que l'aventure du sujet, dans la culture, est fondamentalement une rencontre avec son passé. Rencontre de l'adulte avec l'enfant qu'il fut, rencontre du citoyen d'un village allemand avec ses origines culturelles les plus lointaines. Le *hic et nunc* du fait — ici la découverte de Troie — ne peut se comprendre qu'à la manière d'un croisement de trajectoires où l'histoire personnelle et l'histoire de la nation se coupent et produisent ce *fait*.

Qu'on ne s'y trompe pas. Contrairement à ce que pourrait laisser croire sa dénégation, Schliemann n'est pas en train de se livrer à une opération narcissique ou vaniteuse: c'est le concept même d'histoire, dominant au XIXe siècle, qu'il renverse en mettant en avant son histoire personnelle. Il insinue tout simplement que l'histoire n'est pas ce mouvement progressif qu'on croyait, qui emporte les hommes et leurs savoirs vers plus de savoir et de domination, que le présent, portant le regard vers son origine, l'invente et s'y reconnaît de la même manière que lui-même, savant allemand, a inventé la Troie homérique et l'a livrée à son pays pour qu'il s'y reconnaisse.

Sous la plume de l'archéologue se dessine donc une nouvelle configuration de la notion de temps et d'histoire. Certes le temps du professionnel de l'archéologie est consécutif-progressif. Mais le phénomène qui nous intéresse ne concerne pas le seul travail positif de l'archéologue. Dans sa phrase initiale, Schliemann souligne au contraire la dimension symbolique de cette quête du passé. Dès lors, et on le voit avec Freud, l'archéologie cesse d'être seulement un austère et minutieux travail manuel pour devenir une attitude d'esprit, un regard sur soi-même, et l'archéologue peut devenir pour un temps, comme à son tour trois-quarts de siècle plus tard le linguiste, le héros des sciences humaines. Car il s'agit bien de cela: au moment même où on décide qu'après un siècle de pillage il faut mener à Pompéi des fouilles rigoureuses, Schliemann, sur son chantier d'Asie Mineure, apparaît comme la figure emblématique du chercheur, et à travers lui c'est toute l'archéologie qui devient peu à peu la science modélisante.

Comme toujours, un tel succès n'est pas dû à une cause unique. Au moment où Schliemann prolonge vers le passé l'histoire de l'Occident gréco-latin et permet que se renouvelle ainsi notre rapport à notre histoire, d'autres découvertes apparaissent dans le champ des sciences exactes, qui vont mener à des interrogations analogues. Les progrès de la théorie de l'hérédité, par exemple, et en particulier l'élaboration des lois de Mendel, révolutionnent la biologie et, à travers elle, l'image que l'homme se fait de sa vie et de son rapport à la chaîne ancestrale. On en verra presque immédiatement les répercussions en littérature lorsque Zola en fera le fil conducteur de sa généalogie des Rougon Macquart, qui peut légitimement apparaître comme une archéologie du malheur.

L'origine cesse dès lors d'être l'objet d'une pure curiosité d'homme de science: on s'avise que l'origine est une marque et aller à sa rencontre dans l'anamnèse archéologique, devient aller à la rencontre de soi dans sa continuité avec l'espèce, dans la contemporanéité du passé.

Confronté à la nécessité de penser à la fois le développement progressif du temps et corrélativement le retour sur et à l'origine, le savoir de la fin du XIXe siècle trouve dans les images qu'offre l'archéologie une manière de penser visuellement cette nouvelle et réversive conception du temps. L'archéologie comme science modélisante présente en effet l'avantage de donner une dimension visuelle au temps: les six villes superposées découvertes par Schliemann, dans la dernière desquelles il croit reconnaître Troie, constituent comme un tableau, une mise en espace du temps dont on retrouvera les caractéristiques dans la topique freudienne des trois instances.

Toutefois, à ces aspects formels, se mêlent à l'époque des préoccupations qui ont directement rapport avec la nature même des civilisations que l'archéologie met au jour. La civilisation occidentale n'avait jamais cessé, depuis la Renaissance, de rêver à l'Antiquité gréco-latine, de rêver à un monde que l'on supposait de cohérence sociale et esthétique. Au moment où la révolution industrielle renvoie définitivement ces rêveries à leur statut imaginaire, au moment où les songeries antiquisantes de Winkelmann semblent ne plus pouvoir mobiliser les énergies tant leur idéal d'équilibre est éloigné des puissants déséquilibres et inégalités qui broient les anciennes structures sociales et accouchent, dans la douleur barbare de ce XIXe siècle, les régimes nouveaux, c'est, comme par un miracle d'opportunité, une autre Grèce qui fait son apparition sur la scène archéologique. Les rêves pompéiens fleuris de la *Gradiva* de Jensen s'estompent pour laisser apparaître une culture plus rude et austère, guerrière et massive: Mycène. Ainsi, en deçà du rêve apollinien, se profilent désormais des forces plus originaires et donc plus pures, qui prendront plus tard le nom de *frühgriechisch* sous la plume de l'idéologue nazi Walter Darré qui, passant par dessus les siècles démocratiques athéniens, fera descendre les Germains des peuples doriens.

En inventant Troie, Schliemann intronise donc doublement l'archéologie: comme discipline modélisante et comme modèle social conforme à une demande mythologique du temps qui ne fait que commencer à prendre conscience d'elle-même. C'est parce que Troie et Mycène conviennent si bien à la pulsion sociale qui détrône peu à peu la Grèce de Périclès de son piédestal dans l'imaginaire occidental que l'archéologie voit son modèle spatiotemporel du sens essaimer si facilement dans d'autres domaines du savoir.

Il est inutile de revenir sur l'intérêt qu'éprouve Freud pour Schliemann et l'archéologie. Il y a toutefois un paradoxe en arrière-plan de cette fascination. Freud est un homme de la Grèce classique, des Lumières de la raison et de la mesure, et du «*gnothi seauton*». On trouve cependant chez lui également une admiration fascinée pour l'orgueil du héros qui brave les limites que lui imposent les institutions, les conventions ou le surmoi. En ceci Freud est bien de son temps et on peut dire, avec André Green, qu'à côté du Freud libéral, il y a un Freud nietzschéen. Certes, c'est symboliquement que ses héros passent outre les prohibitions majeures. Le «vitalisme fin de siècle», si cette expression ne semble pas trop paradoxale étant donné l'image asthénique qu'on donne trop souvent unilatéralement du décadentisme, ce vitalisme qui pousse l'individu au-delà de lui-même vers l'*Uebermensch* comme vers l'*Unmensch*, travaille la psychanalyse comme il travaille l'imaginaire de ce qu'on appelle alors, dans le langage d'un Seyes, *l'impérialisme psychologique*.

Dans cette fantasmatique de l'originaire, que nourrit l'esprit archéologique, dans la recherche d'une causalité toujours plus précoce qui est le sang de l'hérédité chez Zola puis, chez Léon Daudet, la notion d'hérédo-figure pour devenir enfin l'intra-utérin de Mélanie Klein, le mythe ontogénétique dominant du sujet est pris en écharpe par une instance phylogénétique, celle des traces mnésiques, celle de l'Autre symbolique de la culture faisant face et même s'installant au cœur même du moi singulier.

Ainsi prend corps l'interrogation qui nous occupe, qui porte sur l'ambivalence des référents du sujet, sur la double causalité générique et individuelle par laquelle il se définit. Ainsi se clôt l'ère durant laquelle la philosophie occidentale et la psychologie avaient réussi à arracher le sujet à ses adhérences multiples à la préhistoire phylogénétique pour en faire un pur être de raison. Désormais, sans rien des catégories sous lesquelles il devra continuer à se penser comme sujet, individuel et autonome, l'homme aura également à opérer constamment sa réinsertion dans l'univers biologique de son espèce et dans la lente temporalité au long de laquelle sa propre identité elle-même se transforme. Le paradigme archéologique prend donc valeur de modèle en psychanalyse et dans les autres domaines parce qu'il permet de donner une forme à ce conflit qui semble à priori insoluble et stérile.

En reliant dans une *image trans-temporelle* les différentes instances chronologiques de l'être, il ouvre la connaissance à une véritable dialectique de la temporalité. Mais il s'agit de bien plus que la seule réinsertion de l'homme comme être de conscience dans le réseau de ses adhérences biologiques. Pour ce qui nous intéresse ici, la question de l'archaïque touche une dimension autrement spécifique: celle dans laquelle le sujet culturel, l'écrivain, l'artiste se retrouve face à cet *alter ego* qu'est sa culture, *alter ego*, totalement *alter*, autre, et totalement *ego*, lui-même. L'artiste est en face de la culture comme l'homme en face de l'espèce.

Redisons encore la même chose, mais sur un plan légèrement différent: l'éternelle question de la nouveauté en art, celle qui nous a valu mille querelles des anciens et des modernes, des modernes et des post-modernes, n'est elle-même qu'un des effets de cette dialectique du même et de l'autre dans la culture qui veut que je ne puis être moi-même comme sujet qu'en étant pleinement dans l'objectivité de la culture, qui est mon autre absolu.

Mais si le modèle archéologique est si important c'est qu'il transforme radicalement la modalité selon laquelle penser ces oppositions binaires. Si j'ai utilisé plusieurs fois le terme dialectique, c'est que le paradigme archéologique instaure une troisième dimension. Dans un schéma jusqu'alors substantialiste, où ancien et moderne, culture et sujet, passé et présent s'opposent comme des entités bénéficiant de l'autonomie propre à ce qui relève de la substance et donc est qualifié par des prédicats, le modèle archéologique, grâce à son caractère spatial, installe une instance nouvelle et relativement extérieure à celles qui constituent les alternatives traditionnelles. Il pose en effet que le sens n'est pas immanent aux choses, aux êtres, au temps, mais constitué par le regard qui les saisit simultanément à partir d'une temporalité spécifique qui est celle de la compréhension humaine. Ce que Schliemann offre à la culture occidentale du XIXe siècle, ce n'est pas tellement un passé plus ancien, une origine plus originaire, c'est, grâce à ce que j'appelle le modèle archéologique, le dépassement du tabou de la temporalité linéaire et la possibilité de reconnaître dans ce passé absolu quelque chose d'actuel, une des figures du présent dans sa tension vers l'avenir. Breton dira cela à la manière des chiffonniers du désir:

> Toute épave à portée de nos mains doit être considérée comme un précipité de nos désirs.

Ce dépassement n'est à son tour possible qu'à la faveur du glissement du problème du temps dans le champ des concepts spatiaux, et de la domination chaque jour plus claire du visuel et de sa logique sur la logique discursive. Cette dernière est en effet inéluctablement liée au caractère consécutif de l'enchaînement des mots et des phrases dans le langage de l'écriture. Nul autre parcours que progressif et linéaire ne lui est autorisé. En revanche l'œil et la vision parcourent la surface de l'image en tous sens. Si l'espace du tableau s'est lentement plié à la logique discursive depuis le Moyen Âge et soumis ainsi au principe hiérarchique, cela venait des peintres et non pas de l'œil.

Avec le XIXe siècle finissant et le XXe siècle commençant, l'espace du tableau cesse à nouveau d'être hiérarchisé, il redevient un champ que l'œil parcourt à son gré: cet espace du visuel est même ce qui restaure les potentialités peu à peu atrophiées de l'œil. Dans l'espace du tableau, comme dans le modèle archéologique, tout est contemporain de tout, et l'origine travaille le présent comme le présent de l'enfant Schliemann appelait l'archaïque Troie.

Dans son essai de penser le rapport individu-espèce à travers l'hypothèse kleinienne de l'archaïsme et, chez Freud, par l'utilisation du modèle archéologique, la psychanalyse nous propose un ensemble conceptuel dont je voudrais tester la pertinence sur un problème à la fois contemporain et éternel de la théorie de l'art: le rapport à l'histoire de l'art dans l'art.

J'ai suggéré que la psychanalyse ne s'est posé le problème psychologique de l'espèce qu'à partir du moment où — à la fin du XIXe siècle — les liens organiques de l'individu avec la collectivité n'étaient plus suffisants symboliquement pour porter cette appartenance aussi fondamentale qu'évidente. Il fallut alors la thématiser comme telle, et donner un statut spécifique à l'hérédité comme à l'archaïque pour fonder l'historicité de l'individu. J'ai donc soutenu que c'était la rupture du lien social dominant, conséquence de la victoire de l'individualisme, qui avait engendré la problématique de l'originaire.

L'autre élément essentiel de ce dispositif conceptuel est l'autonomie des fragments dans la représentation de la totalité. La pensée de l'origine ou de l'archaïque est destinée à rassembler les morceaux d'une réalité perçue comme dispersée, à réunir les fragments de la totalité dans une logique unitaire. Le modèle archaïque se fonde donc nécessairement sur le sentiment d'une fragmentation originaire. L'archéo-logique, la logique symbolique de l'originaire prend donc, dans notre imaginaire, la place de la logique historique linéaire, celle qui nous fait descendre de ce qui nous précède, sans solution de continuité. La dynamique moderniste des avant-gardes était de cette nature: une continuité logique tenait ensemble les étapes d'une chaîne conçue sur le modèle évolutionniste. Comme dans la Bible,

Manet engendrait Monet, qui engendrait Seurat, qui engendrait Delaunay, qui engendrait etc., etc. On peut bien sûr ordonner différemment la généalogie, passer de Monet à Masson, à Pollock puis à Arnulf Rainer ou à Asger Jorn, peu importe. Il s'agit là d'une logique générative propre à une certaine conception de l'histoire de l'art.

Or c'est cette logique qui, peu à peu, se trouble au XXe siècle. Si des rapports peuvent toujours être établis entre des œuvres, en revanche de moins en moins on se fonde sur la génétique générationnelle. Il semble que ce soit moins le générateur, je dirais même le géniteur, de la logique successionnelle propre à l'histoire de l'art qui domine, mais qu'une vague entité faite de l'ensemble de tous les passés accumulés soit en position de générateur. Autrement dit, l'art qui se fait se pense moins par rapport à un Père symbolique et géniteur (Cézanne engendra Braque, qui engendra Lothe) que dans un rapport d'adhérence à la masse historique conçue comme arché, commencement, origine, milieu amniotique, mère enfin, indistincte et mythique des arts.

Tous les gestes artistiques participent dès lors de cette histoire, sans lien chronologique, sans hiérarchie. On a pris l'habitude, en architecture, de nommer cela historicisme, puis post-modernisme. Mais c'est là encore une manière de sauver le paradigme générationnel. En réalité, la fusion de tous les passés dans une entité originaire relève d'une logique différente de celle de l'historicisme: dans celui-ci il y a allégeance à *un* style et à *un* temps, fût-il passé. Dans l'attitude qu'inaugure le XXe siècle, c'est tout le passé visuel mêlé qui devient origine possible. C'est le tout de l'art qui devient géniteur potentiel, c'est l'unicité indifférenciée de la culture-mère qui se trouve en position d'engendreur. Le maternel archaïque prend la place logique du paternel. Tous les objets archaïques sont bons, le déjà vu, le catalogue est la source absolue.

On dénonce souvent la stérilité des artistes contemporains, on leur demande d'innover, de nous étonner par du jamais vu. C'est ignorer la logique de la création dans laquelle nous sommes entrés. Il n'y a pas de bon *nouveau*, car toute bonté est recélée dans l'originaire, et c'est alors que l'histoire de l'art est véritablement la mère de l'art, et non plus l'artiste le père de l'œuvre. La paternité de l'*auctor* est rupture de la chaîne, la maternité culturelle est reprise et continuité. Ainsi les œuvres d'aujourd'hui sont-elles plus radicalement culturelles, c'est-à-dire marquées par le peuple des images collectives, marquées par le musée comme réceptacle des formes, matrice des efforts, autorité protectrice. Un artiste, aujourd'hui, doit manifester son appartenance culturelle davantage qu'il ne doit rompre une tradition pour faire avancer une histoire. Nous sommes entrés dans l'état spéculaire de l'art.

Si nous poursuivons cette hypothèse, il apparaît que notre monde actuel a inauguré une nouvelle relation de l'artiste à la culture. Celle-ci ne le lie désormais plus à ses devanciers, dans la filiation des écoles, des groupes et des chapelles, ou dans le rejet et la rupture à l'égard de ce passé immédiat. Selon ce modèle œdipien qui a si souvent servi à se donner une représentation de l'histoire de l'art comme conflit de générations, les fils s'opposaient aux pères dans la quête de la Beauté (objet traditionnellement féminin). Le rapport des artistes à l'art n'est plus orienté vers l'hypothétique conquête d'une vérité ou d'une Beauté servant d'idéal. Il n'y a aujourd'hui plus de conflits esthétiques, s'il y a toujours autant de conflits de pouvoir et d'argent. Le système ayant cessé de fonctionner à la nouveauté, il se déploie dans une infinie spirale involutive qui repasse en revue les anciennes images.

Dès Marcel Duchamp, et surtout les surréalistes, le paradigme historique et évolutionniste fait naufrage. Le nouveau musée se bâtit sur les ruines du concept dominant du musée. Les valeurs légitimées par l'histoire font place à des valeurs légitimées par l'anthropologie, les archétypes remplacent les types élaborés par les académismes.

Dès lors, l'artiste se trouve seul face à l'histoire de sa pratique. En s'autonomisant des contraintes d'école, de celles du métier, en tournant le dos aux contraintes de la représentation qui limitaient mais donnaient sens à sa pratique, il doit affronter, dans l'indifférenciation du catalogue, l'ensemble des formes et des thèmes jamais produits. Le prix de son autonomie c'est l'abandon du schéma sécurisant de l'histoire. Certes, il prétend toujours faire cette histoire, mais, ayant perdu le paradigme évolutionniste, il n'a désormais plus accès qu'à la série des fragments, des débris qu'au mieux il recomposera dans un collage qui ne sera jamais qu'un substitut, un ersatz de totalité. La culture subjective qui s'est emparée de notre histoire de l'art tente tragiquement de faire de l'histoire avec des fragments du présent. C'est la continuité, l'articulation des éléments dans le tout qui fait problème.

Parce qu'il a voulu s'affranchir de toute fonction, notre art s'est trouvé happé par la fascination pour les tréfonds archaïques, pour les couches successives de son passé, pour les dépôts accumulés de ses pratiques. Dans son effort pour s'affirmer elle-même autonome à l'égard de la loi fonctionnelle de l'Histoire, la pratique artistique s'est vouée à une errance curieuse à l'égard du passé. Ainsi, les images qui surnagent du grand fleuve artistique passé deviennent-elles à leur tour objet, elles deviennent des choses plus vraies que les choses d'hier ou d'aujourd'hui. Ainsi les signes du passé sont-ils plus réels que les choses du présent. De là, le fait remarquable que notre art contemporain s'est radicalement tourné vers son passé et voué à l'archéologie de sa pratique. Ce faisant, il a inventé un nouveau langage qui ne parle pas du monde externe et contemporain, mais qui se construit avec les bribes et fragments des phrases du passé. La rupture du lien pragmatique, même si elle n'est pas toujours entièrement consommée, ne peut en effet qu'impliquer la généralisation de la citation comme retour sur soi et jeux de miroir.

Lorsque Max Ernst découpa des figures dans le tissu des anecdotes imagées pour les recomposer selon une savante absence de logique, il inventa le collage narratif. Mais qu'est-ce que rassembler dans un troisième espace des fragments appartenant originairement à d'autres espaces ou à d'autres récits, sinon créer du vivant poétique avec du mort figuratif, créer avec du langage mort et désarticulé un nouveau discours, créer avec de la vie éclatée et abstraite un projet d'avenir? L'art de notre siècle a conquis cette perspective nouvelle, qui n'est pas celle d'Alberti ordonnant le monde selon l'œil du spectateur. Désormais l'œil n'est nulle part, et les images de notre imaginaire se composent selon une topologie nouvelle, hors des coordonnées traditionnelles de l'espace et du temps.

Que signifie le geste d'un Rauschenberg ou d'un Schnabel sinon la tentative de recomposer des débris de culture dans une totalité nouvelle? Mais ce recours à l'histoire des objets, des matériaux ou des formes, s'utilise désormais selon les modalités de la pensée archéologique. L'artiste est face à l'histoire de son art comme Hofmannsthal face aux mots de la langue:

> ... j'ai complètement perdu la capacité de penser ou de parler sur quoi que ce soit de façon cohérente [...], les mots abstraits, dont il faut bien que la langue [*die Zunge*, la langue, l'organe, non pas le langage] se serve pour produire un jugement se décomposent dans ma bouche comme champignons pourris [...]. Tout ne m'est que fragments, fragments divisés à nouveau, et plus rien ne se laisse saisir dans un concept ([1]).

Le fondement de la pratique artistique cesse d'être la totalité comme réalité du monde psychique et du monde physique à la fois, dans un face à face qui avait engendré une ère entière de représentation. Le monde de l'art prend en charge désormais une nature qui a cessé d'être une réalité objectale pour n'être que le produit de l'activité de l'imagination, et une conscience qui a cessé d'être une masse homogène pour se cliver en multiples instances.

Cette transformation a bien sûr pour conséquence l'annulation du concept dominant de temps linéaire et une réduction de toutes les temporalités historiques à la contemporanéité d'un présent.

L'Histoire, sous le pic et la pelle de Schliemann, apparaît comme un mille-feuille, une multitude de couches superposées dans la spatialité accumulative où l'œil unifie ce que le vécu existentiel a étiré et dispersé. C'est donc la mort du temps existentiel qui fonde le présent du mille-feuille et ouvre un processus de signification qui se libère de la chronologie biologique et historique pour entrer dans une articulation autrement complexe, celle de la *logique du symbolique*. Ce passage s'effectue dans la psychanalyse au moment où Freud réinterprète la déchirure schizophrénique propre au niveau existentiel et individuel mise à jour par Bleuler, en *Spaltung*, c'est-à-dire en un conflit systémique propre à la logique symbolique constitutive de la réalité. Freud, avec Max Ernst, Aragon et quelques autres, nous introduit au monde fantasmagorique de la logique symbolique où les *substances* ont perdu leur transcendance. Daudet disait:

> Nous sommes [...] une déflagration continue d'images anciennes, associées étroitement à des images récentes (2).

Aragon, dans ce bréviaire de l'esprit du XXe siècle qu'est *Le Paysan de Paris* a bien saisi ce mystère nouveau de la culture rendue à sa métonymie maternelle après deux siècles vécus sous la Loi de la métaphore et du Père.

> Lueur glauque, en quelque manière abyssale, qui tient de la clarté soudaine sous une jupe qu'on relève d'une jambe qui se découvre. Le grand instinct américain, importé dans la capitale par un préfet du second Empire, qui tend à recouper au cordeau le plan de Paris, va bientôt rendre impossible le maintien de ces aquariums humains déjà morts à leur vie primitive, et qui méritent pourtant d'être regardés comme les recéleurs de plusieurs mythes modernes, car c'est ajourd'hui seulement que la pioche les menace, qu'ils sont effectivement devenus les sanctuaires d'un culte de l'éphémère, qu'ils sont devenus le paysage fantomatique des plaisirs et des professions maudites, incompréhensibles hier et que demain ne connaîtra jamais (3).

Une culture métonymique, c'est une culture qui se nourrit sur ses mystères anthropologiques, qui refuse de sortir d'elle-même pour se monnayer — peut-être illusoirement — dans le monde de la pratique. Non pas nombrilique mais ombilicale, omphalique, libérée du souci d'utilité.

L'art était, au bout de tant de siècles, apparemment arrivé aux limites de son service, comme la raison était arrivée au bout de son pouvoir. La métaphorisation progressiste, rationaliste et moderne est arrivée au terme de son développement et nous sommes entrés dans une ère où le sens s'élaborera différemment. Non pas qu'il y ait, comme on le dit trop souvent, évanescence du sens et permanence des seuls simulacres. Se passe sous nos yeux la mise en place d'un nouveau régime de sens que les recherches psychanalytiques comme celles des artistes ont commencé à figurer. Un régime de sens que nous formulons plus aisément visuellement que discursivement, un régime qui crée une conflagration des substances et des temps à travers le choc des références abandonnées à leur fragmentarité essentielle. Aragon avait pressenti cela en plaçant la nouveauté épistémologique de l'art de ce siècle sous le signe du *passage*. C'est dans l'entrechoquement des fragments désormais hors fonction et hors temps que naît le régime nouveau du sens en art.

NOTES

(1) Lettre de Hofmannsthal à Chandos (1901), citée par Christa Bürger, «Konstruktion statt Totalität» in *Kunst und Philosophie*, Paderborn, 1982. [Notre traduction.]

(2) A. Daudet, *Le Monde des images*, p. 13.

(3) Aragon, «Le passage de l'Opéra», in *Le paysan de Paris*, Paris, Gallimard, 1926. La citation est tirée de l'Édition Folio, 1982, p. 21.

Le statut de la littérature face à la science: le cas de Flaubert

Joseph Jurt
Université de Fribourg (Brisgau)

I

Affirmer que la littérature s'est référée tout au long du XIXe siècle à la science, c'est proférer un truisme. On se condamnerait à ne rien comprendre à ce rapport entre littérature et science, si on le réduisait à un fait particulier, biographique, propre à tel ou tel écrivain et explicable à partir de son itinéraire. La récurrence de cette référence à la science devrait nous inciter à la situer dans un contexte plus vaste et à l'expliquer à partir des phénomènes sociaux globaux. Cette structure explicative globale me semble être ce que le sociologue Niklas Luhmann a appelé le passage d'une différenciation sociale stratifiée vers une différenciation fonctionnelle de la société([1]): la société stratifiée de l'Ancien Régime a gagné en complexité par rapport à des sociétés archaïques segmentaires en établissant une hiérarchie de couches sociales. Cette complexité interne se manifeste à travers la généralisation de la morale et de la religion par le moyen des contacts transrégionaux des élites et par l'objectivation de l'écriture. La société fonctionnelle ne reposera cependant plus sur un consensus structurant le système social global et des systèmes partiels s'autonomisent de plus en plus qui ne se légitiment guère par rapport à la société globale, mais à travers leur fonction. Le primat de la fonction caractérise ainsi — toujours selon Luhmann — les systèmes partiels de l'éducation, du droit, de l'économie et ainsi de suite. Le rapport entre littérature et science me semble donc être un rapport entre deux systèmes partiels qui se sont autonomisés (pour reprendre la terminologie luhmannienne) ou entre deux institutions (Jacques Dubois), deux champs (Bourdieu) ou deux cultures (Snow). Mais cette autonomisation n'implique pas un cloisonnement étanche. Il y a plutôt une concurrence, une rivalité entre les systèmes partiels qui entendent suppléer à la fonction exercée autrefois par la religion ou la morale: l'interprétation du monde et l'orientation de la pratique humaine.

Un des exemples les plus connus de cette référence littéraire à la science qui exprime une rivalité sous-jacente se perçoit dans L'Avant-Propos que Balzac a donné à la *Comédie humaine*. L'écrivain se réfère ici, on le sait bien, à Buffon et à son *Histoire naturelle* et entend faire pour la société ce que Buffon avait fait pour la zoologie, en analysant les Espèces Sociales (par analogie aux Espèces Zoologiques) qui composent la société française. L'idée que l'écrivain emprunte au savant c'est d'abord celle de la systématisation d'un ensemble. Il y a peut-être une autre raison qui a fait à Balzac se réclamer de Buffon. L'auteur de l'*Histoire naturelle* a été le dernier savant qui se concevait en même temps comme écrivain et pour lequel la forme importait autant que le fond(2) — n'avait-il pas consacré en 1753 son discours de réception à l'Académie française au problème de style? N'est-ce pas cette nostalgie d'une synthèse entre littérature et science qui animait Balzac aussi, et qui lui faisait se réclamer également de Goethe, qui ne séparait pas non plus culture littéraire et culture scientifique? Mais Balzac n'entendait pas seulement s'inspirer de l'histoire naturelle(3), en transposant l'approche systémique dans le domaine de la société, il entrait aussi en concurrence avec une nouvelle science en train de se constituer: la sociologie. Le premier titre qu'il avait voulu donner à la *Comédie humaine, Études sociales* témoignait de cette ambition. Ce n'était pas seulement la circonscription du domaine — la société — qui témoignait de cette ambition; Balzac s'inspirait également de la méthode élaborée par Auguste Comte quand il affirmait vouloir non seulement observer les faits, mais remonter aux lois qui les déterminent ([4]). La littérature entre donc avec Balzac en concurrence à la fois avec les sciences naturelles et avec les sciences sociales. Mais on pourrait dire en même temps que la sociologie en tant que discipline naissante était tiraillée entre l'orientation scientifique et l'orientation littéraire, et Wolf Lepenies à qui nous devons ces réflexions a parlé à juste titre de trois cultures (*Die drei Kulturen. Soziologie zwischen Literatur und Wissenschaft*) ([5]). L'itinéraire de Comte, comme l'a bien démontré Lepenies, illustre parfaitement cette double orientation. S'il avait d'abord conçu sa sociologie comme une physique sociale, tout en se désintéressant des problèmes stylistiques, il devait se rapprocher, après son 'éducation sentimentale' de 1845, de la littérature et de l'art et reconnaître à ceux-ci la faculté de percevoir de manière intuitive des résultats qui ne seront pas démentis par les sciences. Le comte Louis de Bonald avait par ailleurs déjà prévu le statut précaire des sciences sociales qu'il appelait encore sciences morales: «... repoussées par les sciences exactes, dédaignées par les lettres frivoles, elles seront hors d'état de faire respecter leur médiation ou leur neutralité, et subiront la loi du vainqueur» ([6]). Bonald, par cette métaphore guerrière, traduisait le fait que les lettres et les sciences se disputaient l'ancien rang de la morale. Et il aura pensé à ce rapport concurrentiel quand il intitulera son écrit «Sur la guerre des sciences et des lettres» ([7]). Les sciences jouissaient apparemment d'un prestige plus élevé et les tendances littéraires, notamment antiromantiques, espéraient un renouveau, en s'insipirant du modèle et des méthodes scientifiques. Rappelons la préface de Leconte de Lisle à ses *Poëmes antiques*: «L'art et la science, longtemps séparés par suite des efforts divergents de l'intelligence, doivent donc tendre à s'unir étroitement, si ce n'est à se confondre» ([8]). Si le poète attribue à la science «la révélation primitive de l'idéal contenu dans la nature extérieure», il assigne à la littérature, par analogie, «l'étude raisonnée et l'exposition lumineuse» ([9]). Le caractère exemplaire du modèle scientifique pour la littérature sera par ailleurs souligné la même année par Baudelaire, hostile au concept d'inspiration: «Le temps n'est pas loin où l'on comprendra que toute littérature qui se refuse à marcher fraternellement entre la science et la philosophie est une littérature homicide et suicide» ([10]).

* * *

Flaubert s'est référé tôt au paradigme scientifique; c'est la langue scientifique qui apparaît tout d'abord, à cause de sa précision, comme modèle stylistique. On connaît sa définition du style idéal «qui sera rythmé comme le vers, précis comme le langage des sciences» (*Corr.*, II, 399) ([11]). Les sciences offrent à l'écrivain, selon Flaubert, non seulement un idéal stylistique, mais encore un idéal cognitif, de par leur volonté de montrer les choses telles qu'elles sont, sans projection idéologique ou anthropomorphe, sans idéalisation aussi: «La littérature prendra de plus en plus les allures de la science; elle sera surtout exposante, ce qui ne veut pas dire didactique. Il faut faire des tableaux, montrer la nature telle qu'elle est, mais des tableaux complets, peindre le dessous et le dessus» (*Corr.*, III, 158). Grâce à cette optique, l'écrivain devrait se libérer des présupposés philosophiques et théologiques qui l'incitent à des interprétations finalistes avant qu'il ait saisi les phénomènes en eux-mêmes. «Il faut que les sciences morales prennent une autre route et qu'elles procèdent comme les sciences physiques [...] Nous manquons de science, avant tout; nous pataugeons dans une barbarie de sauvages» (*Corr.*, IV, 243) ([12]). Cette optique «scientifique» se dresse non seulement contre une altération de la réalité par les à priori des systèmes de pensée, mais aussi contre l'altération par une vision subjectiviste: «... l'Art doit s'élever au-dessus des affections personnelles et des susceptibilités nerveuses! Il est temps de lui donner, par une méthode impitoyable, la précision des sciences physiques!» (*Corr.*, IV, 164). Si l'idéal de l'impartialité est légitimé dans les années 50 par le postulat de la scientificité, ce sera à travers la catégorie de l'universalité que Flaubert rapprochera dans les années 60 la littérature de la science. De par son caractère universel, la littérature doit transcender — à l'instar des lois scientifiques le particulier: «... le roman, qui [...] est la forme scientifique [de la vie], doit procéder par généralités et être plus logique que le hasard des choses» (*Corr.*, V, 179)([13]). Flaubert semble, en fin de compte, rêver comme Balzac d'une nouvelle synthèse entre art et science: «Plus il ira, plus l'Art sera scientifique, de même que la science deviendra artistique. Tous deux se rejoindront au sommet après s'être séparés à la base» (*Corr.*, II, 395-6).

* * *

Le paradigme scientifique n'oriente pas seulement comme concept poétologique l'horizon de Flaubert; l'écrivain s'inspire aussi des méthodes scientifiques lors de l'élaboration de ses œuvres. L'une d'entre elles s'offre particulièrement bien à une étude de cas des rapports entre science et littérature et du statut que Flaubert attribue à la littérature face à la science: c'est *Salammbô*([14]). Nous sommes dans ce cas assez bien documentés pour étudier trois moments importants de la question: 1) la méthode de travail de Flaubert; 2) la réaction du champ scientifique à travers la voix de l'archéologue Froehner; 3) la réponse de Flaubert qui entend clarifier le statut de la littérature face à la science.

1. Dans une lettre de mars 1857 adressée à Mlle Leroyer de Chantepie, dans laquelle il proposait comme principe poétologique une impersonnalité inspirée du modèle des sciences physiques, Flaubert évoquait ainsi les travaux préparatoires en vue de son nouveau roman: «Je m'occupe [...] d'un travail archéologique sur une des époques les plus inconnues de l'antiquité [...]» (*Corr.*, IV, 164). Par ce qu'il appelle son «travail archéologique», Flaubert se meut sur le terrain de la science; et il s'y consacre pendant plus de cinq ans (de 1857 à 1862). On peut aujourd'hui reconstruire le travail de recherche de Flaubert, mené avec une minutie scientifique, à travers la Cor-

respondance et à travers un dossier établi par l'écrivain sur sa documentation et sa méthode («Salammbô, sources et méthodes»), dossier qui n'a été publié qu'en 1971 ([15]); il y a enfin les «Carnets de lecture» de Flaubert conservés à la Bibliothèque historique de la Ville de Paris ([16]).

En ce qui concerne le substrat historique du roman — les faits de l'histoire militaire, de la révolte des mercenaires contre Carthage, Flaubert s'en tient au récit de Polybe ainsi qu'au chapitre que Michelet lui avait consacré dans son *Histoire romaine* ([17]). Mais ces faits événementiels extrêmement réduits ne pouvaient fournir qu'une ossature historique pour le futur roman. Pour l'histoire de la vie quotidienne, l'auteur devait puiser à d'autres sources. Quant à sa méthode, il nous dit ceci: «Ce qui me manquait de précis sur Carthage, je l'ai pris dans la Bible (traduction de Cahen). Quand je n'ai pas eu de textes anciens, j'ai eu recours aux voyageurs modernes et à mes souvenirs personnels.» (C.H.H., 2, 489). Sa méthode est celle de la déduction hypothétique à partir de civilisations similaires ou de contiguïtés géographiques. Puisque les fondateurs phéniciens de Carthage font partie de la civilisation sémitique, il paraît à Flaubert légitime de faire des emprunts à la Bible, malgré la distance historique qui sépare la période de Moïse de celle de la guerre punique. À l'aide de cette méthode, l'écrivain procède à des extrapolations dans des sources assyriennes à partir de la civilisation juive ([18]). Cette méthode inductive, qui peut paraître à un historien d'aujourd'hui tout à fait contestable, était assez courante à l'époque. L'abbé Mignot se servait ainsi dans son *Mémoire sur les Phéniciens* de l'Ancien Testament comme source d'information et même Michelet renvoyait à Ezechiel au sujet du «commerce de la Phénicie, sans doute analogue avec celui de Carthage» (C.H.H., 2, 465). Flaubert avait réuni pour son roman une documentation imposante, constituée à la fois par des auteurs de l'Antiquité et par des ouvrages de recherches historiques.

Ce qui étonne pourtant, c'est que l'écrivain parle à plusieurs reprises de «travail archéologique» (*Corr.*, IV, 164) ou d'«archéologie» (*Corr.*, IV, 202, 212), alors qu'il se fondait presque exclusivement sur des sources écrites;

cela s'explique par le fait que l'archéologie se définissait à l'époque comme «science des choses anciennes» — la plupart des archéologues provenaient de la tradition philologique —; ce n'est que plus tard que l'archéologie se définira comme «l'explication du passé par les monuments figurés», selon la formule de Salomon Reinach ([19]).

Mais Flaubert ne négligeait pas totalement les sources non écrites. Dans son dossier préparatoire, on peut trouver une page entière consacrée à la topographie de Carthage. Il cite en outre des articles de la *Revue archéologique* ainsi que le rapport *Fouilles à Carthage* du célèbre archéologue Charles Ernest Beulé, publié en 1861 ([20]). Il faut cependant reconnaître que le substrat archéologique — les monuments figurés — pour une reconstruction de Carthage était à l'époque extrêmement mince. L'écrivain éprouvait pourtant le besoin de voir le site de ses propres yeux. Et l'on sait qu'il entreprit en 1858 un voyage de trois mois en Tunisie, entre autres pour visiter les ruines de Carthage. Ce qui importait cependant plus à Flaubert que les rares restes de la civilisation punique, c'était le contact visuel immédiat avec les lieux de son futur roman: «J'ai bien humé le vent, bien contemplé le ciel, les montagnes et les flots» (*Corr.*, IV, 271).

2. Le roman de Flaubert sortit le 20 novembre 1862 en librairie. On rendit très tôt compte de l'œuvre sous son aspect archéologique. Un chroniqueur anonyme écrivit ainsi dans le numéro du 9 décembre 1862 du journal *France* ceci: «Le récent livre de M. Gustave Flaubert le maintient à son rang comme écrivain et le présente à l'Académie des inscriptions et belles-lettres en qualité d'archéologue.» La réaction de l'archéologie «officielle» ne se fit pas attendre. Dans le numéro de décembre 1862 de la *Revue contemporaine*, Guillaume Froehner attaquait d'une manière très violente le roman qu'il qualifiait de «volume pseudo-carthaginois, à titre pompeux et de mine arrogante» (C.H.H., 2, 373); Flaubert y répondit par une lettre ouverte dans *L'Opinion nationale* (24 janvier 1863), qui fut publiée avec la réponse de Froehner dans la *Revue contemporaine* du 31 janvier 1863; l'écrivain y ajouta une réplique dans *L'Opinion nationale* du 4 février.

Les éléments du dossier de la bataille de Salammbô — «Salammbô, indépendamment de la dame, est dès à présent le nom d'une bataille, de plusieurs batailles» (C.H.H., 2, 452), constata Sainte-Beuve — ces éléments me semblent être particulièrement intéressants. Car nous avons ici avec Froehner la réaction d'un savant face à la littérature, qui amena ensuite l'écrivain à clarifier le statut de la production littéraire par rapport à la science.

En ce qui concerne la réaction de Froehner, on peut en distinguer trois aspects. D'abord la définition du terrain spécifique de l'archéologie et de celui de la littérature, définition qui n'est pas sans rapport avec le statut que s'attribue l'archéologie; à partir de cette délimitation du terrain on peut ensuite déduire une certaine conception de la littérature qui sert à l'archéologue de paramètre pour juger l'œuvre littéraire. La discussion porte enfin sur la méthode archéologique.

Quelques mots d'abord sur le statut de l'archéologie: l'archéologie française avait connu un grand essor dans les annés 40, notamment avec la fondation en 1844 de deux revues spécialisées, la *Revue archéologique* et les *Annales archéologiques*, et surtout avec la création de l'École française d'Athènes en 1846; en 1863, on avait créé une chaire d'archéologie et d'histoire de l'art de l'Antiquité à l'École des Beaux-Arts; c'est Georges Perrot qui occupa en 1876 la première chaire au sein de l'université, et il inaugura une nouvelle conception de l'archéologie en liant l'un des premiers son enseignement à sa pratique de terrain, n'accordant aux sources écrites qu'une place mineure([21]).

En Allemagne, la discipline de l'archéologie s'était établie plus tôt. Des savants allemands, venus à la suite du roi de Bavière en Grèce, avaient beaucoup contribué au dépouillement des sites de l'Antiquité; on devait à l'initiative d'archéologues allemands la création de l'«Instituto di Corrispondenza Archeologica» à Rome en 1829; dès le début du 19e siècle, on avait créé des chaires d'archéologie aux universités de Goettingue, Kiel et Leipzig. Froehner était issu de cette école allemande([22]). Né en 1835 à Karlsruhe, il avait soutenu une thèse de doctorat sur un sujet archéologique en 1858 à l'université de Bonn, pour se rendre l'année suivante à Paris, où il fut bien accueilli par Renan puis employé à la rédaction de catalogues d'antiquités au musée du Louvre, où il fut nommé conservateur adjoint. Depuis 1863, il servait pour trois ans de secrétaire et traducteur auprès de Napoléon III, qui avait commencé la rédaction de son histoire de Jules César([23]). On s'étonne d'ailleurs qu'un homme qui ne séjournait en France que depuis deux ans ait osé s'attaquer à un écrivain de la stature de Flaubert. Il se peut que la renommée de l'archéologie allemande, déjà établie comme discipline académique, lui ait conféré cette assurance, voire cet aplomb.

Ce qui frappe dans les propos de Froehner, c'est sa préoccupation du terrain. Le terrain est en fait pour l'archéologue une catégorie fondamentale. La pratique professionnelle s'exerce d'abord sur le terrain, et dans les manuels on classe l'histoire de l'archéologie d'après les terrains dépouillés. Dans un sens figuré, le terrain c'est le domaine spécifique de la discipline. Dès le début, Froehner regrette l'intrusion de dilettantes dans le domaine des sciences de l'Antiquité; parmi eux, il compte les littéraires qui ne respectent pas les frontières «naturelles»: «Les romanciers [...] ont plus d'une fois empiété sur le domaine de la science» (373)([24]). Flaubert est entré avec *Salammbô* dans un domaine qui lui était étranger; en tant que romancier, il ne pouvait donc qu'échouer. Froehner ne cesse de recourir à des synonymes de la notion du terrain (comme «pays», «terre étrangère») afin de délimiter le domaine de l'archéologie. Ailleurs, il se sert de la métaphore du sanctuaire ouvert seulement aux initiés. Cette définition de la connaissance comme savoir secret (Froehner parle de «ces ténébreux arcanes de l'Antiquité» [400]), est l'expression de l'autonomisation du champ et de la professionalisation des agents, qui ne peuvent se légitimer que par une compétence spécifique dont le non-initié ne dispose pas. Flaubert dénoncera — sur le mode ironique — cette pensée segmentaire qui réserve les domaines aux seuls «spécialistes»: «Je suis prêt, néanmoins, sur cela, comme sur tout le reste, à reconnaître qu'il a raison et que l'antiquité est sa propriété particulière» (401).

Si Froehner est sceptique à l'égard du genre du «roman archéologique» (396) en tant que tel, il l'est encore à plus forte raison quant à la tentative d'une reconstruction de Carthage. L'évocation du monde de l'ancienne Égypte telle que l'avait tentée Gautier dans le *Roman de la Momie* pouvait au moins se fonder sur une documentation plus large et plus sûre; le travail archéologique avait été déjà fait et l'écrivain n'avait qu'à «traduire» un savoir acquis. Pour Carthage en revanche, le dépouillement archéologique était encore à faire. Le «travail de restitution» (381) de Flaubert entrait en concurrence avec la tâche de l'archéologie.

Mais même une base documentaire exemplaire ne saurait réduire l'opposition de principe de Froehner contre le «roman archéologique», opposition informée par une conception normative du genre romanesque constitué en premier lieu par l'intrigue alors que le roman archéologique, de par la prédominance de l'aspect descriptif, se rapproche, selon Froehner, de la science sans pour autant atteindre son statut référentiel. Cette conception normative du roman n'est pas déterminée uniquement par le primat de l'intrigue, mais aussi par un sujet spécifique, ce qui permet de tracer d'une manière très simple la ligne de démarcation entre archéologie et littérature; le domaine «naturel» du roman est pour Froehner la vie quotidienne du présent qui est observable et non pas un passé qu'il faut restituer; les deux domaines s'excluent: «Le romancier a son terrain à lui; il brille où le savant s'éclipse» (387).

Froehner attribue de plus au roman — même si c'est d'une manière implicite — une fonction didactique-exemplaire. Cette finalité devrait guider le choix de ses sujets, alors que pour l'historiographe la simple existence d'un fait au passé légitime l'évocation. D'après cette poétique normative implicite, un roman ne devrait pas évoquer les aspects négatifs de la réalité: «Le véritable artiste, écrit Froehner, cherche ce qui est beau et aimable, il éblouit par la vérité, il frappe par la grandeur» (382).

En tant que «roman archéologique», *Salammbô* ne pouvait par définition correspondre à cette conception normative du roman (description vs intrigue, sujet de l'Antiquité vs sujet contemporain; image négative vs idéalisation).

Mais Froehner ne jugeait pas l'œuvre seulement à l'aune de cette poétique normative, destinée surtout à défendre son domaine contre les «empiètements» de la littérature. En tant que «roman archéologique», l'œuvre était aussi justiciable d'une analyse archéologique, face à laquelle l'auteur ne pouvait se réclamer de la liberté poétique. «Nous avons le droit d'être sévère de ce chef envers l'auteur, car il affiche de hautes prétentions archéologiques [...]» (374). Froehner se réclame dans sa critique de la méthode de l'archéologie qui entend reconstruire des civilisations du passé sur la base des monuments figurés et des sources écrites; il s'adresse ainsi à Flaubert pour lui dire: «Ces détails ne se trouvent dans aucun auteur ancien ni dans aucun monument authentique» (377). Mais Flaubert peut alléguer dans sa réponse des sources même pour les détails les plus extraordinaires. Ce qu'il néglige cependant — et sur ce point, Froehner à partir de sa perspective historiographique a raison —, c'est la critique des sources. Le fait d'être transcrit semble aux yeux de Flaubert suffire à garantir l'authenticité d'un fait. Les sources devraient en outre être compatibles entre elles. Mais Flaubert a remplacé les sources carthaginoises manquantes par des documents se rapportant à d'autres civilisations ou d'autres époques, pèchant ainsi contre la norme de la cohérence historiographique. Froehner trouve dans la description du mariage de Salammbô une contamination de plusieurs traditions et il n'a pas tort en affirmant: «cette phrase est une mosaïque» (380).

Froehner pardonnerait à Flaubert des erreurs de détail, si l'œuvre esquissait une image globalement juste de la civilisation carthaginoise. Le critique conçoit ainsi un partage des tâches entre l'archéologie qui devrait analyser l'authenticité du particulier et le romancier historien à qui incomberait la fonction de dresser un panorama historique global. Le romancier historien devrait saisir «le génie des peuples antiques en général» (385), «[le] caractère national» (386). Or pour pouvoir procéder à de telles attributions abstraites, il faudrait disposer de l'instrument d'une philosophie de l'histoire (téléologiquement orientée). Un tel concept est cependant pour Flaubert de nature métaphysique, et il s'y refuse justement au nom de la science: «Quand on lit l'histoire [...] on voit les mêmes roues tourner toujours sur les mêmes chemins, au milieu des ruines, et sur la poussière de la route du genre humain» (*Corr.* I, 51)([25]).

3. Nous sommes donc déjà en train d'analyser la réaction de Flaubert. «Je n'ai, monsieur, nulle prétention à l'archéologie. J'ai donné mon livre pour un roman, sans préface, sans notes, et je m'étonne qu'un homme illustre, comme vous, par des travaux si considérables, perde ses loisirs à une littérature si légère» (389). Tels sont les propos de Flaubert dans sa première réponse à Froehner. Mais pourquoi l'écrivain se rend-t-il néanmoins sur le terrain de son adversaire, celui de la science, de l'archéologie? Pourquoi ne se défend-t-il pas en se réclamant de l'autonomie de l'œuvre littéraire? «Je me suis tenu tout le temps sur votre terrain celui de la science [...]» (394), affirme-t-il. Pour Flaubert, il y a là peut-être d'abord une question d'honnêteté intellectuelle. Il n'entend pas qu'on mette en question comme il dit «la sincérité de [s]es études» (388); de plus, il s'attribue, dans le domaine du savoir aussi, une certaine compétence.

Mais cette défense sur le terrain de la science n'est pour lui qu'un premier plan. Ce qu'il visait en fin de compte, ce n'était pas «la restitution complète du monde carthaginois» (380). À travers la documentation, il cherche en premier lieu une garantie pour la vraisemblance de son monde fictionnel: «Quant à l'archéologie, elle sera «probable». Voilà tout. Pourvu que l'on ne puisse pas me *prouver* que j'ai dit des absurdités, c'est tout ce que je demande [...]» (*Corr.* IV, 211)([26]). Et dans sa défense aussi, Flaubert se réfère au critère de la vraisemblance: «C'est en tout cas une hypothèse vraisemblable», affirme-t-il à propos d'un détail. Le critère décisif n'est pas la fidélité référentielle, mais la dimension de la cohérence interne de l'univers romanesque. On connaît ses célèbres propos à ce sujet: «Mais là n'est pas la question. Je me moque de l'archéologie! Si la couleur n'est pas une, si les détails détonnent, si les mœurs ne dérivent pas de la religion, et les faits des passions, si les caractères ne sont pas suivis, si les costumes ne sont pas appropriés aux usages et les architectures au climat, s'il n'y a pas, en un mot, harmonie, je suis dans le faux. Sinon, non. Tout se tient.» (449). Ce qui importe à Flaubert, c'est la dimension individuelle, psychologique qu'il ne saurait jamais appréhender à travers la documentation historique, mais seulement par l'intuition créatrice. «Je donnerais la demi-rame de notes que j'ai écrites depuis cinq mois et les 98 volumes que j'ai lus, pour être, pendant trois secondes seulement, *réellement* émotionné par la passion de mes héros» (*Corr.*, IV, 212). Dans l'évocation de cette dimension individuelle réside pour Flaubert l'apport spécifique de la littérature, auquel aucune science ne saurait suppléer.

Flaubert n'entend en effet pas donner une image «objective» du monde carthaginois, mais une image focalisée à travers le regard des hommes de l'Antiquité, conformément à ses principes d'un réalisme subjectif. Un témoignage écrit n'informe pas forcément sur les faits réels; il informe cependant sur les croyances, sur les interprétations historiques de la réalité: «ce qu'on a cru à l'époque, je peux m'en contenter», affirme-t-il à ce propos ([27]).

Si Flaubert s'est fondé sur un travail de recherches de sources si intense, c'est qu'il se sentait en opposition diamétrale contre ce qu'il appelait le «système Chateaubriand»; Chateaubriand «partait d'un point de vue tout idéal; il rêvait des martyrs *typiques*» (444). Lui en revanche n'entend pas idéaliser; il ne veut pas «embellir, atténuer, fausser, franciser» (443); il ne veut pas «faire *pohétique*»; il veut éviter l'emphase. Il se propose de faire sentir l'étrangeté radicale du monde de l'Antiquité punique; et la documentation lui sert là de caution: «Au lieu de rester à votre point de vue [...] de lettré, de moderne, de Parisien, pourquoi n'êtes-vous pas venu de mon côté? demande-t-il à Sainte-Beuve. L'âme humaine n'est point partout la même [...]» (449).

Flaubert demande ensuite à sa documentation, comme l'a bien démontré Raymonde Debray-Genette, qu'elle lui fournisse des valeurs plastiques et picturales. Qu'on pense à cette notice de Flaubert transcrite après son retour de Tunis: «À moi puissances de l'émotion plastique!»([28]) Flaubert veut esquisser par des mots des tableaux, à travers les valeurs plastiques et picturales, à travers les nombreux passages descriptifs, et entrer ainsi en concurrence avec la peinture([29]).

Flaubert a enfin besoin de toute sa documentation, composée pour la majeure partie de textes, parce qu'il écrit toujours à partir d'une bibliothèque([30]) ou pour le dire avec Michel Foucault: «L'imaginaire ne se constitue pas contre le réel pour le nier ou le composer; il s'étend entre les signes, de livre à livre, dans l'interstice des redites et des commentaires; il naît et se forme dans l'entre-deux des textes»([31]).

Flaubert entend dans un premier temps se libérer à travers les sciences du subjectivisme ainsi que des a priori philosophiques et métaphysiques. Mais il ne s'agit pour lui nullement de subordonner la fiction littéraire à une finalité scientifique, bien plutôt d'instrumentaliser la science au profit d'un but esthétique. S'il y a pour Flaubert une concurrence, une guerre des sciences et des lettres, il est de prime abord convaincu de la supériorité de la littérature.

NOTES

(1) Niklas Luhmann, *Gesellschaftsstruktur und Semantik — Studien zur Wissensoziologie der modernen Gesellschaft*. I. Frankfurt/M., 1980, pp. 26-31.

(2) Mes propos doivent beaucoup à une conférence prononcée par Wolf Lepenies au Collège de France le 10 juin 1987.

(3) Balzac ne se réfère pas exclusivement au système taxinomique de Buffon mais aussi à la biologie contemporaine s'inspirant de l'idée d'évolution d'un Cuvier et d'un Geoffroy Saint-Hilaire auxquels il emprunte l'idée de l'unité de composition et la théorie du milieu. «... avec Cuvier et Geffroy Saint-Hilaire, comme le remarque Arlette Michel à juste titre, on passe d'une étude d'une synchronique du vivant — de la 'physiologie' — à une étude diachronique, la 'biologie' proprement dite qui se définit par sa dimension historique» (Arlette Michel, «Balzac et la logique du vivant», in *L'année balzacienne*, 1972, p. 225). Foucault a ainsi souligné le changement de paradigme par rapport à la taxinomie classique qui entendait classer l'ensemble des entités vivantes à travers un système d'identités et d'oppositions se servant de catégories «visibles» (forme, nombre, disposition, grandeur) alors que la biologie s'orientait d'après l'unité *fonctionnelle* «invisible» de l'organisme comme organisation intérieure et dans sa détermination par le milieu respectif. «C'est [le] passage de la notion taxinomique à la notion synthétique de vie» (Michel Foucault, *Les mots et les choses*, Paris, Gallimard, 1986, p. 281).

(4) Voir Auguste Comte, *Cours de philosophie positive*, II, p. 40: «C'est dans les lois des phénomènes que consiste réellement la science, à laquelle les faits proprement dits, quelques exacts et nombreux qu'ils puissent être, ne fournissent jamais que d'indispensables matériaux. Or, en considérant la destination constante de ces lois, on peut dire, sans aucune exagération, que la véritable science, bien loin d'être formée de simples observations, tend toujours à dispenser, autant que possible, de l'exploration directe, en y substituant, à tous égards, le principal caractère de l'esprit positif [...]». Cité chez H.-J. Müller, *Der Roman des Realismus — Naturalismus in Frankreich. Eine erkenntnistheoretische Studie*. Wiesbaden, Athenaion, 1977, pp. 9-10. Rainer Warning a constaté à juste titre chez Balzac cette double orientation qui caractérise selon Foucault l'épistémè du XIXe siècle: l'observation positiviste des lois d'une part et l'*explication* à partir d'une métaphysique de la profondeur, d'une philosophie de la vie; chez Balzac, par exemple, quand il cherche à rendre raison de la mobilité sociale du XIXe siècle en ces termes: «Si quelques savants n'admettent pas encore que l'Animalité se transborde dans l'Humanité par un immense *courant de la vie*, l'épicier devient certainement pair de France, et le noble descend parfois au dernier rang social» [souligné par nous]. (D'après Rainer Warning, «Chaos und Kosmos. Kontingenzbewältigung in der *Comédie humaine*», p. 46, in H.-U. Gumbrecht / K.H. Stierle / R. Warning (éds.), *Honoré de Balzac*, Munich, Fink, 1980.)

(5) Munich, Hanser, 1985. Le titre du livre de Lepenies fait allusion au célèbre essai C.P. Snow, *The Two Cultures and the Scientific Revolution* (New York, 1959) qui regrettait la dissociation entre culture scientifique et culture littéraire.

(6) Louis Gabriel Ambroise, Vicomte de Bonald, *Œuvres complètes*, t. XI: *Mélanges littéraires, politiques et philosophiques*, 2, 1858. Genève — Paris, Slatkine, 1982, p. 159. Nous devons ce renvoi à Wolf Lepenies.

(7) *Ibidem*, p. 158.

(8) Leconte de Lisle, *Articles — Préfaces — Discours*, éd. par Edgar Pich, Paris, Belles-Lettres, 1971, p. 118.

(9) *Ibidem*, p. 119.

(10) Charles Baudelaire, «L'École païenne» (1852), cité par Leconte de Lisle, *op. cit.*, p. 119.

(11) Nous citons la *Correspondance* d'après l'édition Conard.

(12) L'écrivain souligne ainsi la nocivité des à priori philosophiques: «La philosophie telle qu'on la fait et la religion telle qu'elle subsiste sont des verres de couleur qui empêchent de voir clair parce que: 1° on a d'avance un parti pris; 2° parce qu'on s'inquiète du pourquoi avant de connaître le comment; et 3° parce que l'homme rapporte tout à soi» (*Corr.*, IV, 243-4).

(13) Et d'une manière similaire dans une lettre de février 1867: «Le roman selon moi, doit être scientifique, c'est-à-dire rester dans les généralités probables» (*Corr.*, V, 277).

(14) Il est évident qu'une étude exhaustive ne devrait pas se limiter à l'analyse de *Salammbô*, mais s'étendre aux autres œuvres de Flaubert.

(15) Publié en annexe à Gustave Flaubert, *Œuvres complètes*, t. II. Paris, Club de l'Honnête Homme, 1971, pp. 489-512 (cité désormais C.H.H.).

(16) Le Carnet 7 est également publié dans l'Édition du Club de l'Honnête Homme (C.H.H., 8, pp. 312-319).

(17) Voir à ce sujet P.B. Fay et A. Coleman, *Sources and Structure of Flaubert's «Salammbô»*, New York, Reprint 1965; et Giorgetto Giorgi, «*Salammbô*, tra esotismo e storia contemporanea», *Belfagor*, vol. XXV, 1970, pp. 380-385.

(18) «... les Assyriens ont fourni aux Juifs les noms, les mots, les signes et les caractères dont ils se servent aujourd'hui [...]. Cette origine assyrienne m'a servi pour prendre des ornementations, des détails d'architecture, des types de tête. Où les preuves me manquaient, j'ai induit» (C.H.H., t. 2, pp. 489-490).

(19) «La Méthode en archéologie», cité d'après Victor Chapat dans «Les Méthodes archéologiques», in *Revue de synthèse historique*, n° 82, 1914, p. 1.

(20) Beulé s'était rendu célèbre par ses fouilles sur l'Acropole d'Athènes; en 1852, il avait dégagé la porte menant à l'Acropole qui portera son nom; au sujet des fouilles de Beulé à Carthage voir Georges Radet, *L'histoire et l'œuvre de l'École Française d'Athènes*, Paris, Albert Fontemoing, 1901, pp. 273-281, 377.

(21) «Georges Perrot inaugure une nouvelle conception de l'archéologie, qu'il applique à toute l'histoire de l'art, de la préhistoire à l'ensemble des civilisations de l'Antiquité, mettant en relations, à partir des découvertes qu'il a effectuées en Asie mineure, l'Orient et l'Occident. L'un des premiers, il lie son enseignement à sa pratique de terrain, n'accordant aux sources écrites qu'une place mineure. Son ami, Léon Heuzey, fait de même dans l'enseignement d'archéologie qu'il inaugure, dès 1863, à l'École des Beaux-Arts» (Marie-Claude Genet-Delacroix, «L'Enseignement supérieur de l'histoire de l'art (1863-1940)», p. 84, in Christophe Charle et Régine Ferré, *Le personnel de l'enseignement supérieur en France aux XIXe et XXe siècles*, Paris, Éditions du C.N.R.S., 1985).

(22) D'après U. Hausmann, *Allgemeine Grundlagen der Archäologie*, Munich, C.H. Beck, 1965, pp. 67-94.

(23) D'après Prevost et d'Amat, *Dictionnaire de biographie française*, t. 14. Paris, 1979, col. 1324-25.

(24) La pagination renvoie désormais à l'édition du Club de l'Honnête Homme, tome 2.

(25) Il est évident que Flaubert est confronté non seulement à l'archéologie, mais à l'Histoire. Voir aussi J. Jurt, «Die Wertung der Geschichte in Flauberts *Éducation sentimentale*», in *Romanistische Zeitschrift für Literaturgeschichte*, VII, 1/2, 1983, pp. 141-168.

(26) «Je crois néanmoins être arrivé à des *probabilités*. On ne pourra pas me *prouver* que j'ai dit des absurdités» (*Corr.*, IV, 210).

(27) Cité d'après Claudine Gothot-Mersch, «Flaubert», in *Dictionnaire des Littératures de langue française*. I. Paris, Bordas, 1984, p. 812. Voir à ce sujet aussi l'excellente étude de Claudine Gothot-Mersch, «*Salammbô* et les procédés du roman flaubertien» (sous presse): «Le monde antique qu'il nous présente, Flaubert le présente *à travers l'esprit et les yeux* des gens de l'Antiquité: voilà pourquoi il rappelle que la Bible et Pausanias sont des auteurs *anciens*, au lieu de dire que ce sont des textes sérieux, à valeur historique. Si l'on a cru dans l'Antiquité que les escarboucles sont formées de l'urine des lynx, c'est un bon trait de *réalisme subjectif que de mettre dans Salammbô* des escarboucles formées de l'urine des lynx.»

(28) Flaubert, *Œuvres*. I. Paris, Gallimard (Bibliothèque de la Pléiade), 1981, p. 689.

(29) Voir à ce sujet Louis Hourticq, *La vie des images* (Paris, Hachette, 1927, pp. 211-214) qui montre que Flaubert s'est souvenu dans son roman de scènes représentées par des peintres orientalistes tels que Chasseriau, Horace Vernet, A. Guignet, Decamps, Delacroix.

(30) Voir aussi Malraux: «En publiant *Salammbô* [...] il prouve que son réalisme normand exprimait un dessein proprement artistique. Ce qui est vrai par sa volonté de styliser, mais surtout par sa relation, bien étrangère, à Balzac avec sa bibliothèque. Il examine l'humanité dérisoire du haut d'un dialogue avec les grands morts, seule légitimation de la vie» (André Malraux, *L'homme précaire et la littérature*. Paris, Gallimard, 1977, pp. 115-116).

(31) Michel Foucault, «La bibliothèque fantastique», in *Travail de Flaubert*. Paris, Seuil, 1983, p. 106.

The Status of Authors in Nineteenth Century Hungary: The Influence of the French Model

Anna Wessely
Université de Budapest

1. Distinctions and principles of hierarchization in the literary field

The point to present the case of Hungarian literature to a conference on French literary scenes can be twofold. Firstly, it contributes to our understanding of French influences in 19th century Europe and, secondly, it may highlight certain theoretical approaches and methodological aspects of general relevance which have so far been neglected in the study of the leading literatures of that epoch.

The principles of division and hierarchization which structure the literary field in 19th century Hungary lie in the political and regional dimensions which are often disregarded in the socio-logical construct of the literary field([1]). Yet, they are significant for every literature which develops (1) in a politically dependent *state*, or (2) in a *country* with a linguistically heterogeneous population, or (3) in a *society* sharply divided by the opposition "capital — province".

The first of the above features prevails in Hungary throughout the discussed period, forming the institutional context of literary production: censorship, sponsorship, the instruction of literature at schools and universities, etc. It also introduces a powerful heteronomous principle into the appreciation of literature, effectively banning any l'art pour l'art ideology. Consequently, the *role* of the writer will be interpreted in more or less political terms, while his actual *status* depends on political conjunctures which largely affect both the chances and the forms of economic success or social prestige granted to national authors. The political aspect also colours and periodically redefines the relationship of "low" and "high" literary production.

The second feature dominates the literary problematic of the early 19th century, fixing priorities and an overemphasis on language.

Finally, the everpresent third feature becomes pervasive from the 1870's onwards, culminating in the conflict of "urbanist" and "populist" writers in the 1930's.

2. Peculiarities of development in the semi-periphery: Civilization or "Kultur"

There are two theoretical frameworks which may help to illuminate and situate in the European context the seemingly exotic case of 19th century Hungarian literature. The first is Wallerstein's triadic model of "core — semi-periphery — periphery" ([2]). The second is Norbert Elias' explication of the sociogenesis of the conceptual opposition "civilization — culture", — an essay of apparently philological nature which, nevertheless, proves extremely fruitful in understanding the main axes around which the Hungarian literary scene of the period organized ([3]).

As Wallerstein demonstrates, the peoples in the (semi)-periphery of the world-system find support for the creation of their identities in the socially homogenizing force of nationalist ideologies. In addition, Elias has convincingly shown that national identities had to be based in this region not on the consciousness of collective achievements (as expressed by the English or French usage of the word "civilization") but on collective traditions, i.e. distinctive, allegedly national, features capable of separating "Us" from "Them" in lack of clear, institutionalized demarcation lines embodied either in the territorial integrity of a nation-state or in the integration of civil society. The valueladen concept of culture (German "Kultur") emphasizes national uniqueness and calls for its cultivation. National culture is seen as the manifestation of national character, of a deep, inner, *spiritual* determination. Its idea is elaborated in opposition to the superficiality of supra-national, or foreign, civilization and to the *materialism* manifest in its economic and technological progress. This is how an economically weak, politically insignificant, and territorially scattered middle-class tried to assert itself in Germany in the 18th century, — in the face of the cosmopolitan life-style of a powerful aristocracy and "cultural colonization" by French influence.

In Hungary, a country under Habsburg rule, this opposition was, if possible, even more marked and found expression in the twin concepts of *progressio* and *patria*. The former stood for social reform, implying enlightenmment, economic growth, the development of the institutions of civil society, humanitarian measures, and a liberal insistence on individual rights; the latter stood for national traditions, language and culture but also for the defence of national self-determination, historically evolved political autonomies, and collectives privileges. The alternating assessment of the relative importance of these two value concepts goes far to explain the character of successive epochs and single trends or, later, factions proper, within literature. It was, of course, rarely a question of exclusive choice (as, e.g., in 1849-67) but of priorities, rather. In politically agitated times, the alternative was formulated in unequivocally political terms, while in a political standstill it was couched in social and literary slogans.

The initiator of the literary revival in the 1770's, Bessenyei, saw as yet no conflict in this respect. Intent on propagating the ideas of the Enlightenment in his native country, he thought it evident that the necessity of scientific and social progress must be explained in the national language if it was to take root in the widest possible circles. However, he came to realize with a shock that there existed no Hungarian discursive prose fit to convey the new ideas. Modern Hungarian literature had been blocked in its development and its prospects were far from promising for two reasons. Firstly, the reading public was sharply divided on linguistic and cultural lines: the aristocracy (mother tongue Hungarian or German) read only in French, German or English; the middle nobility (mother tongue Hungarian) received an exclusively classical education and read in Latin; the lower nobility and the peasantry, if not illiterate, satisfied their reading needs by traditional Hungarian or colportage literature sold in fairs or by wandering salesmen; the as yet small urban middle class was mostly of foreign origin and read in German. Secondly, Hungarian vocabulary was, as it had evolved in oral communication, in the ever-repeated formulas of traditional poetry, and in the tracts and pamphlets of religious debate between Catholics and Protestants, archaic, or deficient even, unable to express the new notions of early modern science, technology, and social thought. (Not being an Indo-European language, Hungarian does not easily assimilate loanwords from these languages.)

To indicate the less than prominent role of Hungarian in Hungary, it may suffice to note that a regular German press preceded the establishment of its Hungarian counterpart with ten years in Pest (1770 and 1780, resp.), that Latin was not only the language of learning and jurisprudence but, until 1844, the official language within the state. It was the medium of self-expression for a feudalistic nationalism which conceived the nation as comprising only the nobility (admittedly numerous, amounting to 5% of the population). Nothing describes this situation more vividly than the fact that Rousseau's *Contrat social* as well as *Ça ira* were translated into Latin (!) in this country in 1792. Hungarian literature was not taught at the schools, and the professor of Hungarian at the university of Pest had altogether eight students in the year 1806.

With the aim of creating a modern Hungarian prose

style, Bessenyei designed, as a matter of fact, a blueprint for the Hungarian literary field: in order to bring forth a flexible and differentiated modern language, all literary genres must be introduced and cultivated in Hungarian; an Academy must be set up to standardize language usage, spelling and to control literary production; further, a National Theatre must be established to set the norm of correct pronunciation.

Although its designer soon withdrew, in bitter disappointment with the futility of effort, from all social and literary activity, the blueprint was, in fact, to be realized within a century. The process is of great interest not only on account of its rapidity but also because it seems to reverse the normal course of events in the evolution of a distinct field of literature. — The tripartite model of developmental regions is of heuristic value here: In the semiperiphery, it is not only capitalistic forms of production that are introduced from outside or from above in conscious endeavours not to lose out in international competition; the same "inorganic" development can be observed in other, for example cultural, spheres. The inevitable consequence of abrupt changes by forced innovation is that the bulk of the population experience the new forms in either sphere not in social but in national terms rather, protesting against "imported", alien customs which threaten their traditional identities.

In the literary field, the support lent to traditionalism by nationalist emotions secured mass appeal to historical novels recreating or inventing the glorious past, and to "folk" poetry and drama which presented the Hungarian countryside and its inhabitants in their uncorrupted, good-hearted simplicity. The former enjoyed great popularity in the first half of the 19th century, while the latter gained ground after the defeated war of independence against Austria in 1849, growing parallel to the modernization of industry and finance. The image of the true Hungarian character and its appropriate literary presentation governed not only the writers' popularity and economic success; it also moulded the standards of critical appreciation, leaving its imprint on the first histories of national literature and their transmission at schools. It performed an effective selection among literary products, driving out of historical memory trends, oeuvres or certain works of otherwise canonized authors if these contradicted the master image.

It is impossible to discuss here the whole of 19th century Hungarian literature. The table in the *Appendix* must suffice to indicate the changes in literary programs with their corresponding role ideals of the writer; the rate and forms of institutionalization with the corresponding status of authors; and the forms in which the opposition *progressio-patria* appeared in literary debates.

3. The Authors' Status

Early 19th century Hungarian literature grew in the shadow of extremely conservative and rigid censorship exercised by the *Polizei-Zensur Hofstelle* of the Viennese ministry of police. Any work, thought to present a however slight offence to the Empire's interests, was forbidden to be printed, circulated, or imported into its territory. Publication abroad — in Germany, Switzerland, or England — was a regular way out, although not open to all on financial grounds. Censorship was particularly detrimental to drama which could hardly prosper deprived of performances. Censorship gradually loosened from the late 1860's, reaching a new phase by the end of the century when no longer the issues of national politics but subversive social ideas were denied the right of publicity.

The acknowledgement of authors' rights was slow to develop. The notion of plagiarism and its rejection appeared as late as around 1830. The creation of a law to protect copyrights had been urged already in 1844 but came to be passed only forty years later.

The authors' social prestige was high and steadily growing but rarely accompanied by financial security. Without other regular sources of income hardly any author could make a living from loyalties alone. The vice-president of the *Relief Association of Hungarian Writers* had all reason to declare at the statutory meeting in 1861:

> Among the factors instrumental to our progress, literature has doubtlessly been the most powerful. Aware of its debt, the nation has manifested an enthusiasm and generosity towards literature almost unmatched by the most civilized nations of Europe. Nevertheless, if we consider not literature as such but the circumstances of the individual writer, we must admit that literary work is perhaps nowhere else rewarded less than in our country ([4]).

The status of Hungarian authors underwent radical change in the course of the 19th century. The initial state may be illustrated by two statements; one evidences the vacuum in which writers felt to be operating, the other betrays the exaggerated expectations connected to their role already at this time. The first can be found in the title of a drama written in 1793: The *Musing Tempeföi or He is a Fool who Becomes a Poet in Hungary*. Its author, Csokonai, hardly managed to get his poems published and died poor and sick in 1805. The other statement was made by the writer of the first Hungarian sentimental novel. This highly cultured nobleman, saved from the bitter experiences of less lucky colleagues, regarded the writer's career as a holy vocation and declared: "... if anyone would dare to approach the gate to the temple of national authors with unwashed hands, sacrilegious feet, and unprepared head, I would rather be a gatekeeper angel deterring him with my blazing sword" ([5]).

The promotion of literature was a one-man enterprise at the beginning of the century. Ferenc Kazinczy, released from prison in 1801, retired to his country seat and began his all-encompassing correspondence and activity as a writer, poet, translator, editor, and critic and managed, within a decade, to mobilize and dominate all literary work in the country.

The next generation gathered already in Pest. They overtook the edition of the most respected learned journal, started their own literary almanachs and periodicals, occupied responsible positions in the newly founded Academy of Science (1830) and National Theatre (1837), raised the level of literary criticism, distributed the awards of the Academy and other foundations in support of national literature. The leading poet of the period, Vörösmarty, could leave the customary post of the Hungarian intellectual (tutor of aristocratic children) and make a living as a respected poet, editor, and translator; another author, a fashionable writer of society novels, became almost rich. They formed an exception yet. As Ferenc Toldy, critic and later the author of the first school textbook on the history of Hungarian literature, put it in 1841: "... a Hungarian author has no biography apart from living in want and adverse conditions, in the midst of shorter or longer literary quarrels" ([6]).

By the 1830's there were several periodicals, weeklies, and fashion journals competing for the favour of the public, with a growing and differentiated staff of contributors recruited from all strata of society, from aristocrats to the sons of peasants and serfs. The impetus to their activity came from politics, fired by the idea of national emancipation. As the above-quoted critic expressed it in 1833: "After the revolutions which have shaken the world, the spirit of our age seems to favour the national idea; as a main instrument to human ornament and happiness, it gathers all aspirations in its focus..." ([7]).

Authors, whether as pamphleteers and journalists or poets and novelists, shaped and articulated politics in the 1830's and 40's, called the Age of Reform reaching its peak in the revolution of 1848. The growing public and the change in the attitude to literature well reflected the effectivity of their new role. The publication of new volumes of poetry, the performances of Hungarian dramas were regarded as national achievements just the same as new institutions or innovations in industry and transport. Nobody was surprised about the first Hungarian steamboat being named after a recently died poet. And it was but natural that young poets proclaimed the revolution and helped to formulate the demands of the nation in March 1848.

They became public figures in the centre of national interest. In the period of persecution and repression from

1849 until about 1861, the dead poet, Sndor Petöfi, grew into a kind of folk hero, the subject of rumors and legends; the burials and anniversary celebrations of poets turned into political mass demonstrations. Following the compromise with Austria, which resulted in the establishment of the Austro-Hungarian Monarchy, the star cult of authors began to assume modern proportions.

Mr Jkai (1825-1904), the most widely read novelist in Hungary until the 1960's, was one of the protagonists of the 1848 revolution and had to hide and publish under pseudonyms in the worst period of repression. By the 1880's he was elected member of parliament, favoured and decorated by the imperial family and celebrated throughout the country: "In every major Hungarian town there is a Jkai Street, in many grammar schools a Jkai Circle, in the institutions a Jkai Foundation, in the shop-windows a Jkai hat." ([8]) His portrait could be seen everywhere, on the murals in the halls of the Parliament as well as on playing cards. The fiftieth anniversary of his career as a writer was celebrated a whole year long in 1893-94. Every Hungarian town elected him honorary citizen, the University of Budapest conferred him a doctor's title, on the festive gathering in his honour there appeared the whole governement, the corps of generals, all members of parliament, deputations from every town and country, etc. His biographer, the jovial and ironic novelist, Mikszth (eventually an MP himself who lived to see the village of his birth named after him) commented on these celebrations:

> Other peoples also celebrate their writers with flowers, odes, and love, with long greeting speeches held by readers. The poor Poles buy Sienkiewicz an estate and a castle, the English 'post a gate-keeper' front of the homes of their great scientists and writers, the Spanish give them serenades, with the Germans it is the Emperor calling by for a pint of beer, — there are many ways to honour a person, but this one of ours surpasses them all: Hungarians make the writer dream he were a king ([9]).

The example is certainly hyperbolic. Jkai's exceptional case, nevertheless, tangibly demonstrates the national, political importance attributed to authors in Hungary ever since the 19th century. (And, ever since then, many try hard, with more or less success, to live up to their assigned role.) Such a status was, however, no Hungarian invention even if it proved more permanent here than elsewhere. The model, seized upon by Hungarians in the 1830's, had been offered by Victor Hugo.

4. **''Une mission nationale, une mission sociale, une mission humaine''** (Victor Hugo)([10])

By the 1830's Victor Hugo had become a popular playwright in Hungary. His influence, coinciding with the opening of the permanent National Theatre in Pest, led to a renewed interest in the function, forms, and aesthetic problems of drama.

The first published work by Jzsef Eötvös — who was to become a major novelist, poet, social philosopher, politician and minister of religion and public education in the governments of 1848 and 1867 — was an essay he prefixed to his translation of Hugo's *Angelo* (1836). Here he explained the significance of the romantic movement which he saw embodied in Hugo's plays. Eötvös singled out Hugo's social commitment, his wish to be useful to the people («donner à la foule une philosophie, aux idées une formule»([11]), to present the truth, fight prejudice and so to educate and morally strengthen the French people. He is no poet for the Académie, he writes for the people: ''Poetry was too sacred, too sublime in his eyes to be mere play; it was the means for him to strengthen his people; and strength is a virtue. It was truth he had sought and found. That is why he will live on as the greatest witness to his age''([12]). With Hugo, the young Eötvös declares, romantic literature has reached a new stage; it does not address a specific *audience* any more but speaks to the people who listen to the new songs with interest because these they can finally understand.

Eötvös's idea of the function of literature, to which he was to remain faithful all through his career, took shape in these years. His next essay on Hugo, provoked by his indignation with the criticism levelled at the poet by Chaudes-Aigues in the *Revue de Paris* and Jules Janin in the London *Athenaeum*, was written in 1837. It set forth the argument that the mission of poetry was to affect and influence the moral life of the people by offering instruction and pleasure. The specific question Eötvös poses and answers affirmatively here is the following: "Has Hugo served the cause of art by his endeavour to make drama popular, an object of general interest?" ([13]). The argument is based on a "sociological" evaluation of genres, defining drama as popular in the sense of "equally affecting the educated and the uneducated". This turns it into "a useful instrument of human society", a vehicle for the transmission of moral truth. Since "the drama, like the parable, is only used to make certain ideas more understandable and influential" ([14]), adequate criteria for its appreciation cannot be gained from aesthetic principles alone but must be supported by insight into the constitution of the public justifying the playwright's choice of means: "... roads differ not so much in their direction as in their starting points, and the more directly they lead to a goal, the greater the differences among them will be. For Balaam to believe, his ass must speak; St. Paul's soul bent only to the mighty word of Heaven, to God appearing in full glory; [...] He who wants to affect the people must sometimes conform to it; its power is, like all powers, not without a kind of servitude, on which it is based and without which it cannot persist" ([15]). Thus, the stark simplification in Hugo's characters, the improbabilities of his plots all flow form his wish to find listeners and affect them.

Eötvös concedes that Hugo may be a greater lyrical poet than dramatist. But, he adds, "let him be immortal by his odes and live on forever in his songs, I envy him for his plays, these noble actions" prompted by the desire of justice. It is this moral conviction, namely, that makes romanticism, "the party of progress in literature", triumph over its conservative or reactionary enemies, Eötvös concludes ([16]).

By the 1840's the vogue of French literature dominated the Hungarian scene, adding new names to the list of admired and imitated authors. "We were all Frenchmen!", Jkai recalled in his memoirs. "We did not read anything but Lamartine, Michelet, Louis Blanc, Sue, Victor Hugo, and Béranger and if an English or German poet could find mercy with us, then only Shelley or Heine, both denied by their own nations, English or German only in their language but French in their spirit" ([17]). The enthusiasm for French literature was more than a passing fad. The young generation of literary men, gathering around Petöfi (Society of the Ten), was quite explicit about its politically motivated preference for the French model. As one of them explained: "If you want to find the sails of the leading ship on the endless sea of world literature, rest your eyes on France, for she is now, as Victor Hugo has sung it, the only refuge for free ideas" ([18]).

Hugo inspired K. Obernyik's drama, *The Lord and the Peasant* (1844), never performed because of the censor's ban; the *Mystères de Paris* by Sue immediately found followers in the *Hungarian Secrets* (1844/45) by I. Nagy and the *Home Mysteries* (1846/47) by L. Kuthy. While the critic, Jnos Erdélyi, was reporting to his journal from Paris about Sue's contract with the editor of *Le juif errant*, Petöfi already published his translation of its preface in the same journal. Among foreign novelists, it was only Dickens who could challenge Sue's or George Sand's Hungarian popularity.

Erdélyi himself was more reserved in his praise of French authors and repeatedly warned against their imitation, fearing for the originality of Hungarian literature. In a letter from Paris he wrote in 1844:

> French fashion and literature or, to say it in a word, French taste has its greatest depository in Hungary; there is no other country in the whole wide world where you find so much luxury and eagerness to follow fashion with so little money as with Arpd's nation; and there is no other literature infused so deeply with French taste as ours. Our only luck is that the French are not our neighbours. Otherwise we would have completely changed already into French and there would be no trace of Hungarian literature at all. At

> least the outside, the letter and the words are still Hungarian with many of our authors, although the soul is French. [...] We seem to be a nation still in need of guardians; few have the strength to follow their own insights, to work according to the taste of their own nation with all their talent; to become a mirror of the nation, mouthpiece and voice of its frailties and virtues.
>
> What would Hungarian youths say if they saw what the French begin to perceive now that literature has become superficial'', lacking reason, ideas, and psychological depth? ([19]).

Well, the young Hungarians soon answered Erdélyi, the advocate of Hegelian aesthetic principles, and they accused him of hostility to romanticism. In his defence, Erdélyi published the essay *Something on Romanticism* (1847) in which he sharply distinguished romanticism proper from its offspring, called ''littérature moderne''. While the former demands, in true Herderian spirit, ''national and popular specificity as its primary basis and material from which national poetry, adequate to the character and constitution of each nation may develop following the inspiration of the times'', the latter, practised by the most famed contemporary French authors, has got as far away from the romanticism of a Chateaubriand, Béranger, or Lamartine as those had from the classicism of Corneille, Racine, or Voltaire. ''The main characteristic of 'littérature moderne'' is *tendency* which has subjected literature to the service of various aims in the feuilletons, making it depend on other than aesthetic laws, putting on it the stamp of fashion so that we could also translate the term as fashionable literature'' ([20]).

What Erdélyi appreciated most in Parisian literary life was just the opposite of the literary service to politics by tendentious writing. He approvingly quotes the French saying ''La poésie, c'est l'idée; la politique, c'est le fait; autant l'idée est au-dessus du fait, autant la poésie est au-dessus de la politique'' ([21]). His preference for this aspect of the French model could not find favour with Hungarian authors who felt they could not *afford* devotion to purely literary values. In 1846 Jzsef Eötvös wrote in a poem (*I would also enjoy it...*) that his "song cannot tell about mild pleasures while tears were burning in the eyes of millions; the "poet must be moved by the emotions of his age, and voice the torments of the millions". His important novel, The Village Notary (published in instalments in 1844/45) was mocked accordingly by contemporaries as "an editorial in eight volumes". He answered his critics in the digressions inserted into the texture of the novel, repeating his conviction that an author's duty was to produce not just fine works but fine human actions:

> The writer's task is higher than to fill a certain amount of white paper with black strokes, and he who feels this cannot be satisfied by a couple of favourable reviews or the artistic enjoyment he receives from creation. Poetry degenerates into pleasant play if it is separated from the great interests of the age, if it does not endeavour to remedy ills and refine sentiments([22]).

And aware of disappointing the expectations of many readers, he declares:

> As everybody knows, novels are the substitute of fairy tales for men with moustaches and women in bonnets. They are all the more liked if the things they tell about are nowhere to be found in the world. — I am aware of this and have told myself so a hundred times and decided at least as often to better myself, but I have not succeeded. I think it was Archimedes who claimed to be able to build a new world if he were given but one point lying outside of our own; I do not have such a point; who could demand of me another world than the one in which I live, which has engaged all my thoughts and sentiments, outside of which not even my imagination feels at home? [...] I am, for my part, no poet enough to forget the sad reality while creating my work; and if my readers are not willing to pardon this weakness of mine, all I can do is to admit my faults and promise to improve([23]).

Actually, *The Village Notary* offers everything readers could ask for: romantic love, intrigue, tension, moral without didacticism. On account of its lively, ironical style it still makes good reading. Yet, it did not make Eötvös as popular as Petöfi was and later authors, for example, Jkai would become. The key to this difference in public appeal lies not in the difference of talents but in divergent conceptions of the author's role and attitude to the public.

With Petöfi, a new role, a new relationship to the public had been introduced to Hungarian literature. Profiting from his unrivalled success with critics and readers alike, it became almost the norm. It is a peculiar combination of the traits of a vates (the romantic author's conviction that he is to redeem his people, to show them the right way to go and urge them to follow) with those of the *literary hero*, confiding his emotional states, doubts, hopes, and most personal experiences to the readers, involving them in this way in his own biography. In a poem *To the Poets of the Nineteenth Century* (1847) Petöfi expressed his idea of the author's function in terms very similar to those Eötvös used: "If you can do no better than sing your own pain and pleasure, the world has no need of you or your poetry; God has ordained that the poets of recent times be columns of fire leading the people to Canaan." But, while Eötvös, a convinced liberal philosopher and politician, was cautiously avoiding all personal references or forms of persuasion that did not rest on the reader's individual insight, Petöfi assumed the role of the prophet who vouchsafes the truth of his words with his own life and actions.

Thus, Petöfi gave a lyrical, personalized turn to the ideal of the national-popular poet as it had been expressed by Hugo. The new version was taken up eagerly and handed on successfully from one generation to the next. It was only the poets of the 1970's who finally succeeded in dethroning this popular image, — if only by raising its opposite, the cool, detached, ironical or uncertain poet, to the rank of a norm.

RÉSUMÉ

1. Distinctions et principes hiérarchisants dans le champ littéraire

Les caractéristiques de la littérature hongroise du XIXe siècle nous offrent des aspects importants à tout examen littéraire comparatif, qui étudie les cultures littéraires des pays sous dépendance politique, ou des pays hétérogènes au point de vue linguistique, ou ceux qui se développent dans des sociétés marquées par l'opposition capitale-province.

2. Les spécificités évolutionnelles de la demi-périphérie: Civilisation ou Kultur

Deux modèles théoriques (celui de N. Elias et d'I. Wallerstein) paraissent avoir une valeur heuristique dans la compréhension et la classification de l'évolution de la littérature hongroise. Dans le cas de l'évolution «non organique», c'est le plan du champ littéraire qui existe antérieurement et par la suite se réalise consciemment: l'autonomie relative de la littérature, elle aussi, ne se manifeste que dans une proportion limitée.

3. Le statut des auteurs

Du mécénat du début du XIXe siècle, un changement radical et rapide aboutit à la grosse entreprise littéraire de fin de siècle, et le statut des auteurs se modifie conformément à cela. En même temps l'auteur apparaît en tant que star publique, ce qui demande une explication.

4. «Une mission nationale, une mission sociale, une mission humaine» (Hugo)

La conception romantique du rôle du poète, selon laquelle le poète est le maître de son peuple, se répand en Hongrie en s'attachant au nom de Hugo. La manière de la réception s'exprime le plus clairement dans les études de Jzsef Eötvös sur Hugo (1835, 1837) et dans son objectif de romancier. Les critiques de la littérature politisante n'ont pas réussi à restreindre la popularité du nouveau modèle de l'auteur, et quand ceci s'est lié au lyrisme personnel, établissant un contact individuel avec le lecteur, le modèle du poète prophète est devenu la norme, norme qui n'a perdu son authenticité que dans les années 1970.

NOTES

(1) P. Bourdieu, "The field of cultural production, or: the economic world reversed", in *Poetics*, 1983, pp. 311-355.

(2) I. Wallerstein, *The Modern World System I*, New York, 1974.

(3) N. Elias, *Ueber den Prozess der Zivilisation*, Berne, 1969, pp. 1-50.

(4) J. Eötvös, *Arcképek és programok*, Budapest, 1975, p. 280.

(5) J. Krmn, "A Nemzet Tsinosodsa", in *Urania*, 1794, III, p. 309.

(6) F. Toldy, *Irodalmi beszédei*, Pest, 1872, p. 34.

(7) *Ibid.*, p. 9.

(8) K. Mikszáth, *Jókai Mór élete és kora (1907)*, Budapest, 1982, p. 321.

(9) *Ibid.*, p. 336.

(10) V. Hugo, *Littérature et Philosophie mêlées*, Paris, 1834, p. 17.

(11) Quoted form Hugo's preface to *Angelo*.

(12) J. Eötvös, *Tanulmányok*, Budapest 1902, p. 226.

(13) *Ibid.*, p. 232.

(14) *Ibid.*, pp. 229, 231, 233.

(15) *Ibid.*, p. 232.

(16) *Ibid.*, pp. 235 and 227.

(17) Köpeczi et Sötér (eds.), *Eszmék és találkozások*. Budapest, 1970, p. 162.

(18) *Ibid.*, p. 174.

(19) J. Erdélyi, *Uti levelek, naplók*, Budapest, 1985, pp. 180-181.

(20) J. Erdélyi, *Filozófiai és esztétikai Îrások*, Budapest, 1981, pp. 598-9.

(21) J. Erdélyi, *Uti levelek, naplók*, p. 202.

(22) J. Eötvös, *A falu jegyzöje*, Budapest, 1911, vol. I., pp. 379-80.

(23) J. Eötvös, *A falu jegyzöje*, Budapest, 1904, vol. II., p. 343.

Table onomastique

Table des matières

Le présent ouvrage
publié par les
Éditions du Préambule
a été achevé d'imprimer
le 25e jour de mars
de l'an mil neuf cent quatre-vingt-neuf
sur les presses de l'Imprimerie Laprairie
Laprairie (Québec)

Dépôt légal: 2e trimestre 1989
Bibliothèque nationale du Québec
ISBN: 2-89133-096-X

Composition et mise en pages:
LHR, Candiac (Québec)

IMPRIMERIE LAPRAIRIE INC